경험 많은 너와
경험 없는 내가
사귀게 된 이야기.
3

char
쿠로세 마리아
쿠지바야시
하루쿠

cters
185
180
175
170
165
160
155
150
145
140
075
070
시라카와 루나
시라카와
키티
카시마 류토

char
185
180
175
170
165
160
155
150
145
140
135
130
125
120
115
110
105
100
095
090
085
080
075
070
타니키타
아카리
이지치 유스케

cters
185
180
175
170
165
160
155
150
145
140
135
130
125
120
115
110
105
100
095
090
085
080
075
070
야마나 니코루
니시나 렌
세키야 슈고

테이블 밑에서 펼쳐지고 있는
루나와의 유희를
옆자리의 두 사람에게 들킬까 봐……
조바심에 식은땀을 흘렸다.
옆에 쿠로세와 쿠지바야시가 있는데
왜 그렇게 야한 거죠?!

……류토는,
어떻게 하고 싶어?

경험 많은 너와 경험 없는 내가 사귀게 된 이야기.

8

나가오카 마키코 지음
magako 일러스트

AK novel

CONTENTS

프롤로그

"이, 임신?! 아카리 네가?!"

옆에 있던 루나가 스마트폰을 귀에 댄 채 소리를 질렀다.

오키나와 여행 이틀째 밤, 잇치와 타니키타가 나와 루나에게 난데없이 전화를 걸어 왔다.

이제 막 야한 행위로 돌입하려던 찰나였기에, 루나는 브래지어와 팬티만 입고 있었다.

"있잖아, 캇시, 내가 어떻게 해야 한다고 생각해?!"

스마트폰을 댄 귀에 잇치의 비통한 목소리가 날아 들어왔다.

"아직 3학년이고 졸업을 해야 1급 건축사 자격도 딸 수 있는데! 병원비에 출산 비용에, 내 인생은 어떻게 돼 버리는 거야?!"

"엥, 낳으려고?!"

비인도적일 수도 있는 질문이지만 놀라서 나도 모르게 말이 나오고 말았다.

"모르겠어~! 어쩌면 뭔가의 착각일지도 모르고!"

"뭐? 그 말은 병원에 가서 진단을 받은 게 아니라는 뜻이야?"

"검사약! 아카리가 생리 소식이 없다길래 드럭스토어에서 사 와서 한번 해 봤더니 양성이라고 떠서, 혹시나 싶어서 다른 제조사 걸로 세 개나 더 사 왔는데 그것도 전부 양성이 떴어!"

"……."

"세 번이나 억지로 소변을 짜내느라 방광도 이젠 텅 비었어!"

옆에서 타니키타의 목소리도 들렸다.

"엥, 뭐야 뭐야, 무슨 얘기를 하는 거야? 아카리?"

잇치의 말소리가 들리지 않는 모양인지 루나가 자신의 스마트폰에 귀를 대며 의아한 표정을 지었다.

"……일단 잇치랑 타니키타는 같이 있는 거지? 나랑 루나도 지금 같이 있으니까, 전화기를 한 대로 통일하지 않을래?"

"엥, 아카리, 시라카와한테 전화한 거였어?!"

"엥? 설마 유스케가 전화한 사람이 카시마였어?!"

두 사람도 그제야 상황을 파악한 모양이다. 보아하니 결과가 나오자 바로 패닉에 빠져 연락한 기색이었다.

그리하여 타니키타가 루나와의 통화를 끊고, 우리들은 넷이서 대화를 나누기로 했다.

침대 위에 놓인 내 스마트폰을 스피커 모드로 돌린 뒤 나와 루나는 그 양옆에 앉았다.

참고로 루나는 전화를 끊은 시점에 호텔 파자마를 입었다.

잇치와 타니키타가 신경이 쓰이지 않는다면 거짓말이지만, 솔직한 심정을 말하자면 나는 매우 낙담한 상태였다. 루나와의 야한 이벤트가 일단 보류 상태가 돼 버린 것이 확실해졌기 때문이다…….

하지만 거듭 생각해 봐도 유감스러운 건 하필 이 타이밍에 루나의 생리가 시작되었다는 점이다. 그것만 아니었어도 우리는 지금쯤 이

미 침대에서 뒹구느라 전화 따위는 무시해 버릴 수 있었을지도 모른다.

나는 또 동정을 떼지 못했다……. 이게 대체 몇 번째인지. 신은 그렇게까지 나를 어른으로 만들고 싶지 않은 걸까.

정말 너무한 거 아니냐고! 기껏 시간과 돈을 써서 오키나와까지 왔는데, 절호의 시추이에션이었는데. 관광은 즐거웠고, 딱히 그것만이 목적이었던 건 아니지만…… 아니, 역시 그게 목적이 맞다. 적어도 나는…….

아아, 루나에게 닿고 싶었다……. 극한까지 밀착하고, 같이 목욕도 하고, 질릴 때까지 사랑을 나누고 싶었다.

놓친 물고기가 더 커 보이는 법이라고는 해도, 놓친 타이밍이 너무 치명적이라 아무리 원망해도 부족했다. 시간을 되감고 싶다. 오늘 밤에 상황이 이렇게 될 줄 알았다면, 아무리 졸려도 눈에 치약을 바르고라도 어젯밤에 일을 치렀을 텐데.

회한이 마음속을 가득 채웠다. 나는 텅 빈 허물처럼 멍하니 잇치와 타니키타의 얘기를 듣고 있었다.

"네 개가 다…… 전부 양성이면, 임신일 가능성이 높겠지……."

다시 상황을 전해 들은 루나가 심각한 얼굴로 중얼거렸다.

"아냐, 그래도 아직 확실한 건 아니잖아……."

마지막 희망이라도 붙잡고 싶었는지 잇치는 완강하게 반박했다. 목소리가 떨리고 있었다.

"그 뭐냐……, '상상 임신' 같은 것도 있다고 하잖아……?"

"문과인 내가 말해 봤자 설득력은 없겠지만, 상상력으로 검사약을 양성으로 만드는 화학물질을 생성하기는 어렵지 않을까……?"

나도 한창 낙담하던 중이었기에, 유난히 냉정한 태클을 걸고 말았다.

"그건 모를 일이지! 인간의 상상력은 굉장하잖아?!"

잇치는 물고 늘어졌다.

"하지만 아이를 갖고 싶었던 것도 아니잖아?"

두 사람의 당황하는 모습을 보면 상상 임신까지 해 버릴 만큼 간절히 그걸 원했다는 생각은 도저히 들지 않았다.

"그런데 두 사람은…… 피임 같은 건 안 했어?"

루나가 주저하며 물었다.

확실히 의아하긴 했다. 잇치는 고등학교 때부터 '무슨 일이 생길지 모르니까 아싸라도 콘돔 하나 정도는 갖고 다녀야 한다'며 나한테 설파할 정도였는데.

"했어……. 그런데 한 번 안에서 찢어진 적이 있어서……."

"그래서 말했잖아! '그거, 정말로 괜찮은 거냐'고!"

잇치의 말에 타니키타가 갑자기 버럭 화를 내기 시작했다.

"딱 봐도 사이즈가 안 맞아서 힘들어 보이길래 '혹시 찢어지지는 않겠지?'라고 물었더니 '괜찮겠지.'라고 했다고!"

"그래서 그 뒤부터는 호텔에 있는 걸 쓰지 않아도 되게 내 돈으로 사서 들고 다니고 있잖아?!"

"이미 늦었잖아! 이렇게 양성이 떠 버렸으니까! 분명 그때 생긴 거라고!"

"하지만 그때 먼저 '한 번 더 하고 싶다'고 말한 건 아카리거든?!"

"뭐?! 자기도 무지 하고 싶어 했으면서! 내키지 않았으면 말을 하면 됐잖아! 'L 사이즈가 아니면 안 들어가니까 오늘은 이제 힘들겠다'고!"

"나도 아카리가 처음이라서 잘 몰랐어! 설마 조금 작다고 해서 하는 도중에 찢어질 줄 누가 알았겠냐고! 너도 '아마 괜찮겠지.'라고 말했잖아! 걱정되면, 뭔가 그런 약 같은 거라도 먹지 그랬어?!"

"내가 왜 그걸 먹어?! 네가 자기 물건 크기도 몰라서 이렇게 된 건데, 왜 나한테 책임을 전가하는 거야?! 사후피임약은 병원에 가야 처방받을 수 있거든?! 넌 번화가에 있는 여성병원이 얼마나 북적거리는지도 모르지?!"

"……."

전화기 너머에서 장절하고 적나라한 말다툼이 시작되는 바람에, 꿔다 놓은 보릿자루가 된 나와 루나는 멍하니 얼굴을 마주 보았다.

참고로 내가 잇치의 나체를 본 건 고1 숙박 행사 때가 처음이자 마지막이었고, 그때는 아직 뚱뚱해서 아랫배의 살집이 엄청난 박력을 자랑하고 있었기에 잇치의 분신이 그렇게 큰 줄은 미처 알지 못했다.

"지, 진정해……. 잇치 말대로 검사약만으로는 '아직 확실한 게 아니'니까, 내일에라도 일단 둘이서 병원을 다녀오는 게 어때……?"

"……내일은 일이 있어."

타니키타가 토라진 목소리로 대꾸했다.

"그러고 보니 아카리는 학교를 졸업하고 취직은 했어? 인스타에 일하는 얘기가 안 올라오길래 걱정 중이었어. 이지치랑 깨를 볶느라 다른 애들이랑은 한동안 교류가 뜸했잖아? 마리아도 소식을 모른다던데."

루나가 생각이 난 듯이 물어보았다.

"취직은 안 했어. 전문학교 선배 중에 이미컨으로 일하는 사람이 있어서, 그 사람의 예약 관리나 자료 작성, 손님 대응 같은 사무 일을 하고 있어."

"알바야?"

"맞아. 그래도 그 이미컨 선배가 요즘 인스타에서 엄청 인기거든. 1년치까지 매일 예약이 차 있어서 엄청 바빠. 다양한 손님과 상담하는 걸 보고 있으면 공부도 되고 재밌어."

"흐음~, 확실히 아카리한테 잘 맞을 것 같네."

"……미안한데, '이미컨'이 뭐야?"

거기서 나는 루나에게만 들리는 목소리로 물었다. 머릿속에는 고급 차 옆에 서 있는 섹시한 누님이 떠오르고 있었지만, 스스로도 그건 '이베컴*'이라는 걸 알고 있다.

"아, 이미컨은 '이미지 컨설턴트'의 약칭이야. 퍼스널 컬러나 골격 진단 같은 걸 하는 사람 맞지?"

"맞아 맞아. 우리 선배는 그 밖에도 메이크업 검정이나 매너 강사

---

* 이벤트 컴패니언, 상품 홍보 행사에서 이벤트 진행을 돕는 도우미를 말한다.

자격을 갖고 있어서, '반짝반짝 빛나는 매일을 보내고 싶은 여성들을 위한 토털 라이프 서포터'라는 직함으로 활동하고 있어."

루나의 대답을 보충하듯이 전화기 너머의 타니키타가 말했다.

"미, 미안, '퍼스널 컬러'도 '골격 진단'도 나한테는 수수께끼거든……?"

미안한 기색으로 거듭 질문하는 내게 루나가 '하긴 그렇겠네.' 하고 난처한 미소를 지었다.

"요약하자면 그 사람에게 어울리는 색이나 옷 모양, 분위기를 1대1로 가르쳐 주는 일, 이려나?"

"맞아 맞아. 그리고 특히 여자들 중에는 '되고 싶은 외모상'을 갖고 있는 사람이 많으니까, '자신의 체형과 얼굴 분위기에 어울리는 계열이 자기 취향이 아닌' 경우도 제법 있거든. 그럴 때는 '본인에게 잘 어울리는 스타일'과 '본인이 좋아하는 스타일'이 잘 조정되도록 꼼꼼히 상담을 진행하면서 손님과 함께 결론을 찾아가는 일도 하고 있어. 목표로 할 방향성이 정해지면 같이 옷을 사러 가서 코디해 주는 '쇼핑 동행' 같은 플랜도 있어서 그런지, 스타일리스트 비슷한 일도 할 수 있어서 재밌어 보이더라고. 그런 직업도 있구나 싶었어. 나도 언젠가는 독립해서 이미컨이 될 수 있으면 좋겠다 싶어서, 지금은 매일 선배가 하는 일을 보면서 공부 중이야."

그렇게 말하는 타니키타는 전화기 너머로도 느껴질 만큼 활기에 넘쳐서 지금 하는 일을 좋아한다는 걸 알 수 있었다. 원조교제를 하던 시절의 그녀를 떠올리자 오래된 친구로서 마음이 놓였다.

"……그래도 임신이랑 출산을 하게 되면 그것도 포기해야겠지……."

타니키타의 목소리가 그 대목에서 급격히 어두워졌다.

"……아카리, 저기……."

루나가 다시 주저하며 입을 열었다.

"혹시라도 임신했으면…… 낳고 싶어?"

아까 내가 했던 것과 같은 질문이다.

"……낳고 싶다고 할까……."

타니키타가 잠시 뜸을 들이더니 대답했다.

"……'아이를 없앤다'는 선택지가 없단 말이지."

절망의 구렁텅이에서 들려올 것처럼 암울한 목소리였다.

"난 유스케를 좋아하니까. 계속 함께 있고 싶고, 아이도 언젠가는 갖고 싶다고 생각했어……."

고등학교 시절의 두 사람밖에 모르는 나는 속으로 놀라움을 감추지 못해 동공 지진을 일으키고 말았다. 그건 루나도 마찬가지였는지, 격렬하게 허공을 배회하던 시선 둘이 순간 마주쳐서, 상황이 이런데도 우스운 생각이 들었다.

"그냥, '왜 하필 지금이지?' 싶어서……."

타니키타의 가라앉은 목소리에 분위기가 다시 무거워졌다.

"겨우 하고 싶은 일도 찾고, 좋아하는 일로 돈을 벌 수 있어서 충실한 하루하루를 보내고 있는데……. 친구랑 여행도 하고 싶고, 롤러코스터도 타고 싶고, 분위기 좋은 카페에서 애프터눈 티도 마시고 싶었다고. 아직 젊을 때 하고 싶었던 일들이 한참 많이 있었는데…….”

그렇게 말하는 타니키타의 목소리에 눈물이 섞이기 시작했다.

“있지, 루나……, 병원에 가서, 진짜로 배 속에 아기가 있으면, 나, 어떡하지…….”

타니키타가 흐느끼며 말하자, 내 옆에 있는 루나의 눈에도 덩달아 눈물이 차오르기 시작했다.

“아카리…….”

비통한 얼굴로 스마트폰을 바라보는 루나 옆에서 나는.

아까부터 계속 입을 다물고 있지만, 지금도 이 순간에도 타니키타의 옆에 있을 잇치의 마음속을 상상하고 있었다.

◇

결국 전화로는 아무것도 해결되지 않았지만 두 사람의 상황만은 알 수 있었기에, ‘다음 휴일에 같이 산부인과에 가 보라’는 제안을 한 뒤 통화를 종료했다.

“……임신인가아…….”

전화를 끊고 잠시 후 루나가 혼잣말했다.

루나는 침대에 앉은 채로 뭔가 골똘히 생각에 잠긴 눈치였다.

“……확실히, 아무리 피임해도 실패할 위험은 있으니까, 한 번이라도 섹스를 하면 임신할 가능성은 제로가 아니겠지…….”

"……그렇겠지……."

나는 맞장구를 쳤지만, 루나는 그것도 귀담아들었는지 알 수 없는 기색으로 고개를 늘어뜨리고 있었다.

"……류토랑 사귀기 전의 나는 정말, 그런 쪽으로는 진지하게 생각해 본 적이 없었네……."

루나가 한숨을 쉬듯이 그렇게 말했다.

"'이 사람과 아이를 갖고 싶다'는 생각이 드는 상대랑 하는 것도 물론이지만…… '지금 당장 낳고 싶다'는 생각이 드는 시점이 아니면 해서는 안 되는 일이었을지도 모르겠어……."

응? 가슴이 술렁거린다.

"내가, 다음 달부터 전문학교를 다니면서 보육교사가 되는 꿈을 이루려고 생각 중인데…… 아카리처럼 덜컥 임신해 버리면…… 틀림없이, 아주 곤란해지겠지."

그건 그렇다고 생각한다.

하지만, 이 흐름은…… 설마……?

당혹스러워하는 나를 향해 얼굴을 들며 루나가 고뇌하는 얼굴로 입을 열었다.

"우리…… 여기까지 온 거, 어쩌면…… 결혼을 먼저 하는 것도 괜찮은 선택지 아닐까?"

결혼, 이라는 말에 심장이 두근거렸다.

"제대로 같이 살아갈 생활 기반을 다져서, 설령 임신을 한다 해도 문제없다! 고 생각할 수 있을 만한 상황이 된 뒤에 그런 일을 하는 편이 서로 안심이 되겠지?"

"……."

안심, 이라는 점에서는 확실히 그럴지도 모른다.

하지만 그 물음에 선뜻 고개를 끄덕이고 싶은 마음은 들지 않았다.

그도 그럴 것이 우리들은 애초에 그 일을 하러 오키나와 여행을 왔다 해도 과언이 아니었기 때문이다.

루나의 갑작스러운 생리로 비록 첫 경험은 미뤄졌지만, 루나가 입으로 해 주기로 얘기가 됐는데 어째 그것조차 없던 일로 지나갈 듯한 분위기가 조성되고 있다……?

뭐야? 나, 이번에도 간만 보고 끝나는 거야? 심지어 결혼할 때까지 이래야 한다고?!

그건 참을 수 없었다……. 하지만 이 분위기는 확실히, 그런 방향으로 흘러가고 있었다…….

정말로? 진짜로?

무리야! 하다못해 입으로라도 해 줘! 손이라도 괜찮으니까! 해 주세요……, 이렇게 부탁드리겠습니다……!

아까까지만 해도 엄청 좋은 분위기였는데, 거짓말이지?!

거짓말이라고 해 줘, 루나!

머릿속은 두서없는 생각으로 가득 차 애원하고 포효하느라 난리였지만.

"……류토는 어떻게 생각해?"

그렇게 불안해하는 듯한 얼굴로 쳐다보면, 나는…….

"……그렇겠지……. 나도…… 그렇게, 생각…… 해……."

그런 식으로밖에, 대답할 수 없었다.

제 1 장

그렇게 3박 4일의 오키나와 여행이 끝났다.

사흘째 밤에도 루나는 '아카리와 이지치는 어떻게 됐을지'를 걱정했고, 결국 그런 분위기가 조성되는 일 없이 나만 혼자 괴로운 상태로 그녀 옆 침대에서 잠을 청했다.

렌터카를 반납하고 향한 나하 공항에서 비행기 탑승 시간을 기다리며, 우리들은 기념품점을 어슬렁거렸다.

관광으로 유명한 지역의 공항이라 그런지 기념품점들이 자리한 광활한 플로어는 여러 개의 구역으로 나뉘어 있었다.

일단 기념품을 고르는 척하고는 있었지만, 눈앞의 광경은 조금도 내 머리에 들어오지 않고 있었다.

머릿속을 맴도는 건 당연하게도 이번 여행의 기대에 어긋난 결말이었다.

그저께 루나에게 '안 되면 입으로라도 해 주지 않을래?'라고 말하지 못했던 건 미련을 버리지 못하는 것 같아서 추하다고 생각해 버린 게 가장 큰 이유였지만, 돌이켜보면 나는 애초에 성적인 화제로 루나와 터놓고 얘기를 하는 데 서툴렀다.

그 이유는 루나에 비해 압도적으로 경험이 부족하다는 사실에서

오는 내 콤플렉스.

그리고 막 사귀기 시작했을 무렵 '루나의 뜻을 존중하겠다'고 너무나도 굳게 맹세해 버린 데서 기인한 것 같다는 생각이 들었다.

그녀와 성적인 얘기를 나눴다간 하고 싶어질 게 뻔해서, 나는 여태껏 일부러 그 화제를 회피해 왔던 것이었다.

"앗, 그거 맛있겠다~!"

그 목소리에 옆을 보자 분명 따로 떨어져서 물건을 구경하고 있었던 루나가 어느새 옆에 서서 내 시선 끝을 쳐다보고 있었다.

멍하니 서 있었을 뿐 기념품을 찬찬히 둘러보고 있었던 건 아니지만, 내 눈앞의 선반에는 즉석 카레 패키지가 진열돼 있었다.

"'추라우미의 사키모리 카레'. ……나하 공항 한정 상품이래, 맛있겠다~! 그런데 '사키모리'가 뭐지?"

"……고대 일본에서 큐슈를 지키던 군인이었을걸?"

"그렇구나! 역시 류토야! 엄청 똑똑해~!"

루나가 초롱초롱한 눈으로 나를 쳐다본다. 틀렸으면 창피하니까 큰소리로 칭찬하지 않았으면 했지만, 카레 포장지에 '해상 자위대 오리지널 레시피'라고 적혀 있으니 무인(武人)과 관련된 명명이라고 치면 뭐, 대충 맞겠지.

"헐~, 사 보자~!"

루나는 들고 있던 바구니에 카레 상자를 몇 개인가 담았다.

"언니가 카레를 좋아하니까 줘야겠어! 이번에 만나기로 했거든."

"그렇구나. 오랜만에 보는 거지?"

"응! 그래서 완전 기대돼~!"

루나의 언니는 카나가와 현 요코스카에서 미용사로 일하고 있다. 사는 동네도 그 근처라 1년에 몇 번인가 밥을 먹으러 가는 정도로밖에 얼굴을 보고 있지 않은 듯했다.

"누님이 지금 몇 살이셨지?"

"음 그게, 나랑 7살 차이니까…… 지금은 스물여덟이려나."

"그렇구나."

루나의 부모님이 이혼했을 때 루나의 언니는 일단 아버지 쪽의 성을 따르긴 했지만, 이미 고3이라 졸업과 동시에 집을 나가 버려서 현재의 시라카와 가에서는 거의 살지 않았다고 들었다.

왜 본가와 멀리 떨어진 곳에서 살게 되었냐면 그건 당시에 사귀던 남자친구와, 남자친구의 직장 근처에서 동거를 시작했기 때문이다. 그 남자친구와는 헤어졌지만, 그때는 이미 언니가 취직한 곳과 행동범위가 카나가와 방면이 된 뒤였던 듯했다.

참고로 루나의 언니는 지금도 몇 번째인가의 남친과 동거 중이라고 했다.

"누님이 지금 남친이랑은 오래 사귀었댔나?"

"그게, 곧 있으면 3년이라고 했어. 슬슬 결혼할지도 모르겠네."

루나가 웃으며 한 대답에 나는 가슴을 두근거렸다.

—우리…… 여기까지 온 거, 어쩌면…… 결혼을 먼저 하는 것도 괜찮은 선택지 아닐까?

결혼.

그건 아직 우리들에게는 멀기만 한 얘기였다.

물론 루나와의 결혼 생활은 여러 번 꿈꿔 봤지만, 그 단어가 현실성을 띠는 건 적어도 내가 졸업하고 취직해서 사회생활이 궤도에 오른 뒤일 거라고 생각하고 있었다.

하지만 첫 경험이 결혼과 세트로 묶인다면 얘기는 달라진다.

지금 당장 결혼하고 싶다.

그래도 지금 당장은 무리다.

아니, 내가 당장 하고 싶은 건 결혼이 아니라 첫 경험이다. 하지만 타니키타라는 사례가 있으니 같은 여자로서 불안감을 느끼는 루나의 심정도 이해는 간다. 그런 그녀의 마음을 무시하면서까지 억지로 밀고 나갈 수는 없다……!

여행 후반에는 그런 생각들이 머릿속을 맴돌아서 계속 고통에 시달렸다.

"류토는? 기념품 안 살 거야?"

내가 들고 있던 빈 바구니를 들여다보며 루나가 물었다.

"어? ……아, 살 거야. 가족이랑 알바 하는 곳에 돌릴 용도니까, 무난한 게 낫겠지……."

"그럼 저쪽 물건들을 둘러보면 되겠네!"

루나가 손가락으로 가리킨 것은 가게 입구 근처에 있는 평평한 매대였다.

그곳에 산처럼 쌓여 있는 상자 겉면의 '친스코*'라는 글자가 어쩐지 루나에게 받으려다 실패한 행위를 일컫는 애너그램처럼 보여서**, 잠재의식까지 욕망에 점령당한 자신에게 질리고 말았다.

◇

"카시마, 선물 고마워. 아까 먹었는데 맛있었어."

여행에서 돌아온 다음 날, 편집부 알바를 마치고 같이 퇴근한 쿠로세가 엘리베이터 앞에서 그렇게 말했다.

결국 친스코는 너무 무난한 것 같아서, 편집부에는 자색 고구마 타르트를 가져갔다. 빈 데스크에 놔두고 각자 가지고 갈 수 있게 해뒀다.

"오키나와는 어땠어?"

쿠로세의 눈동자에 호기심을 닮은 감정이 어리는 것이 느껴진다.

"……응, 즐거웠어."

엘리베이터를 타며 나는 애써 평범하게 대답했다.

"흐음?"

다른 사람이 타고 있어서인지 쿠로세는 살짝 불만족스러운 얼굴을 하면서도 그 이상 파고들지는 않았다. 나도 그녀가 나와 루나에 대해 어디까지 얘기를 들었는지 알지 못했기에(아마 어느 정도는 알고 있을 거라고 본다), 이 화제는 마음이 불편했다.

* 오키나와의 전통 과자.
** 일본어로 '친코'는 남자의 성기를 일컫는 은어다.

"……아, 맞다."

엘리베이터에서 내려 사옥을 나선 그때, 쿠로세가 문득 생각이 났다는 듯이 말했다.

"식사 모임은 아직이야?"

"어?"

"말했잖아. 모리 오가이의 사람이랑……."

"……아!"

그 말에 나도 기억이 났다. 그것은 쿠로세가 잘생긴 유부남 만화가 사토 나오키와 급격하게 가까워졌다가 그를 향한 사랑을 단념했을 때의 일이었다.

―쿠지바야시는 좋은 사람이야. 남자친구나 연애 대상으로 보기는 어려울 수도 있겠지만…… 난 쿠로세가 쿠지바야시 같은 사람과 친구가 돼 봤으면 좋겠어.

―마리아는 연애보다 먼저 남자에게 면역을 갖는 게 좋겠어.

나와 루나에게 그런 조언을 받은 쿠로세가 쿠지바야시와의 교류를 긍정적으로 생각하게 된 것이다.

―괜찮으면 다음에 식사에라도 초대해 주지 않을래? 루나랑 카시마랑 같이…… 넷이서 대화하고 싶어.

확실히 그런 말을 들었었다.

하지만 그때는 실연 직후라 다소 자포자기한 심정으로 내지른 건 줄 알았는데, 이 모습을 보아하니 정말로 만나고 싶다고 생각하는 모양이다.

그렇다면.

"미안, 깜빡했어. 바로 쿠지바야시한테 얘기해 볼게."

쿠로세가 그런 나를 보며 미소 짓는다.

"고마워. 부탁할게."

그 얼굴에는 그날 밤하늘을 올려다보며 눈물을 흘리던 비통한 기색은 보이지 않았다.

쿠로세도 앞으로 나아가고 있다.

그 사실에 조금 용기를 받으며, 나는 퇴근길 러시로 사람들이 바글거리는 거리에 발을 내디뎠다.

◇

그 주 토요일의 일이었다. 학원 알바를 마치고 귀가하려던 밤 10시, 대기실에서 확인한 스마트폰에 루나의 전화가 와 있었다.

"……루나? 어쩐 일이야?"

퇴근해서 역을 향해 걸어가며 바로 다시 전화를 걸었다.

"아, 미안해, 류토…… 그런데 지금 상황이 좀 난감…… 꺄악!"

루나의 비명과 동시에 덜커덩거리는 소리가 났다. 루나가 아닌 다른 여성의 흐느낌 같은 목소리도.

"엥, 무, 무슨 일이야?! 괜찮아?!"

"미안, 조금 긴급한 일이라 같이 상의하고 싶었는데, 지금은 그럴 때가 아니라서!"

"엥, 상의?! 뭐를?!"

"꺄악! 안 된다니까! 언니……!"

전화는 거기서 끊어지고 말았다.

바로 다시 걸었지만 루나는 더는 전화를 받지 않았다.

"대체 무슨 일이……."

전화기 너머에서 들려오던 심상찮은 소리들을 떠올리자, 걱정이 되어 안절부절못했다.

언니, 라고 루나는 말했다.

언니와 연관이 있다면…… 어쩌면 쿠로세가 뭔가를 알고 있을지도 모른다.

그렇게 생각한 나는 마음을 굳게 먹고 쿠로세에게 전화를 걸었다.

"여보세요, 카시마?"

쿠로세는 바로 전화를 받아 주었다.

"갑자기 전화해서 미안."

"아냐, 어쩐 일이야?"

"아까 내가 학원 알바 중일 때 루나한테서 연락이 왔었거든. 그래서 다시 전화를 걸었더니 뭔가 상황이 뒤숭숭한 것 같더라고. ……'언니'라고 말하길래 쿠로세라면 뭔가 알고 있을지도 모르겠다 싶어서……."

"아, 그랬구나. 실은 언니가 남자친구한테 차인 것 같아."

"뭐? 동거 중이었다던 그 사람?"

"맞아. 갑자기 집을 나갔다나……. 엄청 충격을 받아서, 혼자 둘 수 없는 상태인 것 같아. 아까도 베란다에서 뛰어내리려고 했다고……."

"뭐?!"

"나도 루나한테 연락을 받았고 도와주러 가고 싶었지만, 오늘 밤 할머니의 상태가 좋지 않고…… 할아버지도 여전하셔서, 나랑 엄마 둘 다 집을 비울 수 없을 것 같아."

"그렇구나……."

머릿속에 아까 루나가 질렀던 '꺄악'이라는 비명 소리가 울려 퍼지고 있다.

무슨 사고를 칠지 알 수 없는 언니를 혼자서 상대하고 있는 그녀는 틀림없이 불안하고 외로울 것이었다. 나에게 상의하려고 했던 것도 그래서일지도 모른다.

"……언니네 집은 요코스카 어디에 있는데?"

"어?"

쿠로세가 놀란다.

"설마, 카시마가 가 주려고?"

"……응, 루나가 걱정되니까……."

몇 시간 동안 계속 선 채로 두뇌를 풀 가동시켜야 했던 학원 알바를 마친 뒤라 힘들기는 했지만, 이대로 집으로 돌아가서 루나를 걱정하는 것보다는 그편이 나았다.

"……고마워, 카시마. 루나는 정말 복 받은 사람이네."

전화기 너머에서 쿠로세가 부드러운 음색으로 그렇게 말했다.

그리하여 쿠로세에게 언니의 집 주소를 들은 나는 그대로 역으로 향해 이미 한산해진 상행 전철에 탑승했다.

◇

도쿄를 가로지르는 전철에 장시간 몸을 맡기고 있던 나는 쿠로세가 가르쳐 준 역에서 하차한 뒤 언니의 집 주소를 지도 앱에 입력하고 낯선 밤거리를 홀로 걸어갔다.

이제 막차 시간도 가까워졌으니 지금부터 역으로 향하는 사람은 집으로 돌아가는 사람들뿐이리라. 나는 오늘 밤은 이제 집으로 돌아가긴 힘들겠다고 생각하며, 루나 걱정에 빠른 걸음으로 지도에 표시된 길을 따라 걸어갔다.

주말의 길거리 특유의 느슨한 분위기가 감도는 역 앞을 지나 인적 드문 주택가에 접어들 때쯤 그 맨션에 도착했다.

얼핏 5층 정도로 보이는 소형 맨션 건물은 외벽의 상태로 짐작했을 때 제법 연식이 있는 듯했다.

3층에 있다는 언니의 집에는 명패가 걸려 있지 않았지만, 바깥 복도를 걷다 보니 호수판을 확인할 필요도 없이 '그곳'이라는 걸 알 수 있었다.

문밖에서 여성이 목 놓아 우는 소리가 들렸기 때문이다.

초인종을 눌렀지만 대답은 없었다.

문손잡이를 돌리자 잠겨 있지는 않은 듯해서, 실례라는 생각은 했지만 긴급 사태라고 변명하며 그대로 문을 열었다.

“루나?”

놀라지 않도록 말을 걸며 현관으로 들어섰지만, 나를 본 루나는 귀신이라도 본 사람처럼 경악하고 있었다.

“류토?! 엥?! 진짜야?!”

루나는 바닥에 앉아 있었다. 좁은 원룸이라 현관으로 들어서면 실내가 거의 다 보이는 구조였다.

루나 옆에는 테이블에 엎드려 등밖에 보이지 않는 여성이 있었다.

“류토, 어쩐 일이야?! 여긴 어떻게 알았어……?!”

“쿠로세한테 물어봤어. 루나가 걱정돼서…….”

“류토……!”

내 설명에 루나의 눈망울이 촉촉해졌다.

“고마워…….”

루나가 나에게 감사하며 옆에 엎드려 있던 여성에게 말을 걸었다.

“언니, 류토가 와 줬어.”

“……류토……?”

“전에 얘기했던, 내 남자친구…….”

“……남자친구…….”

내 쪽을 등지고 있던 여성은 그렇게 혼잣말하더니, 한층 더 큰 소리로 울기 시작했다.

"우와아아앙~! 라이~!"

"와와와, 미, 미안!"

루나가 아차하는 얼굴로 황급히 그녀의 등을 크게 쓰다듬었다. 나에게로 시선을 보내며 난처한 미소를 짓는다.

"시, 실례합니다……. 처음 뵙겠습니다……, 카시마 류토라고 합니다. 갑자기 찾아와서 죄송합니다……. 이런 것밖에 없었지만 괜찮으시면……."

역 앞 편의점에서 산 주먹밥과 페트병 여러 개가 담긴 하얀 비닐 봉투를, 선물 대신 테이블 위에 올려놓았다.

"고, 고마워, 류토! 마침 먹을 게 필요하던 참이었는데, 잘됐다!"

그것을 보며 루나가 눈을 반짝였다.

"이것 봐, 언니, 주먹밥이야. 먹자, 응? 아침부터 아무것도 안 먹었잖아."

"으아앙~!"

루나의 언니는 테이블에 엎드려 계속 울면서도 비닐 봉투에 손을 집어넣었다. 그러고는 주먹밥 한 개를 꺼내 겉의 포장지를 보지도 않고 벗긴 뒤 김을 감고는 엎드린 얼굴의 입가로 가져가 먹기 시작했다.

"……재, 재주도 좋네, 언니……."

루나가 어이없어하면서도 감탄하는 듯한 소리를 냈다. 이러니저러니 해도 삶을 향한 의지는 충만한 것 같아서 다행이다.

다섯 개 사 온 주먹밥은 루나의 언니가 두 개, 루나가 두 개, 내가 한 개를 먹으며 순식간에 동이 났다. 전철에 탑승하기 전에 역에서 즉석 소바를 먹어 두길 다행이었다.

"……이제 좀 괜찮아? 역시 공복은 좋지 않지."

페트병에 든 차를 마시고 있는 언니에게, 루나가 어린애를 달래듯이 말했다.

언니는 작게 고개를 끄덕였다.

"고마워, 류토……."

겨우 얼굴을 드러낸 언니는 울어서 눈이 퉁퉁 부은 맨얼굴만 봐도 알 수 있을 만큼 아름다운 사람이었다.

루나의 언니 시라카와 키티 씨. 임신 당시 고등학생이었던 어머니가 좋아했던 캐릭터가 이름의 유래라고 했다.

루나가 가끔 사진을 보여주었기에 만나기 전부터 대략적인 분위기는 알고 있었다. 하지만 막상 직접 만나 보자, 전해 들었던 것보다 훨씬…… 컸다.

주어가 뭔지는 말하지 않겠지만, 실내복으로 걸친 후드 집업의 지퍼 사이로 들여다보이는 두 개의 봉긋한 그곳이…… 눈을 어디에 둬야 할지 알 수 없을 만큼 존재감을 주장하고 있었다.

어깨 밑까지 기른 머리카락은 미용사답게 밝은 톤의 세련된 컬러로, 뭐라고 하는 스타일인지는 모르지만 젊은 여성들 사이에서 유행하는 느낌으로 다듬어져 있었다.

얼굴 생김새는 루나와도 쿠로세와도 다 조금씩 닮아 있었지만, 전체적인 인상이 갸루 같아서 그런지 이미지는 루나에 가까웠다. 아니, 그렇다고 쳐도 가슴이 너무 크다. 아, 말해 버렸네.

황급히 시선을 방으로 옮겼다. 막 도착했을 때는 경황이 없었지만, 이렇게 둘러보자 그리 넓지 않은 원룸치고는 물건들이 넘쳐난다는 느낌은 들지 않았다.

"……어젯밤에 일을 마치고 돌아왔더니 라이의 물건이 거의 다 사라져 있고…… 라인도 차단당해서……."

나의 시선에서 의문을 감지했는지 루나의 언니가 눈물을 글썽이며 설명을 시작했다. 루나도 첨언해 준 덕에 파악한 사정은 다음과 같다.

루나의 언니의 남자친구인 '라이 씨'는 아무런 예고도 없이 갑자기 집을 나갔다. 루나의 언니는 다음 날인 바로 오늘 루나와 밖에서 만날 약속을 했지만 그럴 경황이 없었고, 사정을 들은 루나가 집을 방문하자 언니는 울며서 난동을 부리고 있었다. 마침 오늘이 쉬는 날이었던 루나는 그런 언니가 걱정되어 하루 종일 옆에 붙어 있었다고 한다.

그리고 루나의 언니의 남자친구인 '라이 씨'는 상당히 독특한 남자였다.

루나의 언니보다 네 살 연하인 스물세 살로, 직업은 자칭 싱어송라이터.

요컨대 무직이다.

자신이 작사 작곡한 노래를 가끔 역 앞 같은 길거리에서 부른다고

한다. 수입은 그때 관중들에게 받은 돈이지만, 매번 0에 가까워서 생활비는 거의 루나의 언니가 냈다.

"아르바이트를 시작해도 오래가지 못해서…… 유흥업소 접수원도, 카바레 클럽 종업원도, 호스트클럽 내근직도, 전부 몇 시간 만에 그만둬 버렸거든."

"……아, 알바 경력이 어째 심하게 편중돼 있는데요? 음식점처럼 좀 더 평범한 건……?"

"밤낮이 뒤바뀌어 있어서 밤에만 하는 일이 아니면 힘들대."

"……그건, 생활 습관을 바꾸면 될 일이……."

"작사 작곡 활동은 밤이 아니면 잘 안 된대."

"……."

알 바냐고 속으로 태클을 걸었다. 쓸모없는 인간의 냄새가 물씬 난다.

"언니는 말이지, '사람을 잉여로 만드는 소파'야."

거기서 루나가 말을 꺼냈다.

"너무 포근한 나머지 반드시 해야 할 일조차 안 하고 하루 종일 누워서 뒹굴게 되는 그거. 언니의 역대 남친들은 하나같이 그랬어. 금전 쪽도 포함해서 언니가 너무 잘 보살펴주니까, 아무것도 하고 싶지 않게 돼버리는 거지."

타인에게 좀처럼 신랄한 말을 하지 않는 그녀지만, 가족들 앞에서는 가끔 매서운 발언이 나오는 것 같다고 생각했다.

"그치만, 라이가 꿈을 이뤘으면 해서 묵묵히 지켜봤지만 일을 안

하니까, 내가 보살펴줘야겠다 싶어서."

닭이 먼저냐 달걀이 먼저냐 같은 반박을 하는 언니를 보며 루나는 살짝 한숨을 내쉬었다.

"……언니는 옛날부터 다정했지. 나랑 마리아만 해도 초등학교 5학년 때까지 목욕을 마치고 나오면 꼬박꼬박 수건으로 몸을 닦아 주고 보디로션을 발라 주고 머리도 말려 줬잖아. 귀 청소랑 양치질 뒷마무리도 해 주고……."

"라이도 그런 식의 어린애 취급이 싫었던 걸까……?"

"엥, 그걸 남자친구한테도 하고 있었어요?"

놀라서 묻고 만 내게, 루나의 언니가 고개를 끄덕였다.

"그치만, 좋아하는 사람한테는 전부 해 주고 싶지 않아?"

"……."

이런 거유 미녀에게 그런 왕족 같은 대접을 받으며 얹혀살았으면서 그 남자친구는 대체 뭐가 불만이었던 건지 의아했지만, 불만의 원인도 어쩌면 그 부분에 있었던 게 아닐까 싶은 기분이 들어 신기했다.

"와아앙! 라이이이이~!"

그때 루나의 언니가 갑자기 생각이 난 것처럼 통곡하기 시작해서, 루나가 다시 등을 어루만져 주었다.

"알았으니까, 이만 자자, 응? 어제부터 잠을 못 잤잖아? 몸에 안 좋으니까 조금이라도 눕는 게 좋아."

"으아아앙……!"

언니는 울면서도 루나의 말에 벽 가에 있던 침대로 비틀거리며 올라갔다.

침대는 아무리 봐도 싱글인데, 남자친구는 어디서 자고 있었던 걸까 의문이 스쳐 지나갔다.

그러자.

"혼자서는 침대가 너무 넓어어~!"

언니가 울면서 한탄했다.

진짜냐……, 여기서 둘이 같이 자고 있었던 거냐고…….

그렇게 말해도 이 방은 딱 봐도 혼자 살기 적합한 원룸으로 성인 둘이 지낼 만한 곳은 아니었다. 집세도 루나의 언니가 혼자서 내고 있었을 테니 사치를 부릴 수 없었을 거라는 상상은 가지만.

"그래 그래, 내가 같이 잘게."

루나가 그렇게 말하며 침대에 가로누웠다. 언니를 벽 가에 붙게 하고는 좁은 침대에서 떨어지지 않도록 균형을 잡으며 반쯤 몸을 일으켜 언니의 등을 다정하게 쓸었다.

"으으으……."

언니는 잠시 흐느껴 울었지만, 곧 감은 눈에서 새로 눈물이 흘러나오지 않게 되더니 호흡이 편해지기 시작했다.

"……잠들었나 봐. 피곤했겠지."

그렇게 말하며 내 쪽을 돌아본 루나는 아이를 재우는 어머니처럼 자애에 찬 표정을 짓고 있었다.

"정말 고마워, 류토. 미안……. 난 오늘 밤은 여기서 지내려고 하는데, 류토는 어떡할래?”

“응, 나도…… 민폐가 되지 않는다면, 같이 있을게.”

기껏 여기까지 오기도 했고, 루나의 언니도 아직은 어디로 튈지 예측할 수 없는 상태인 듯하니까.

“그럼 우리도 쉴까? 숙박 용품 같은 건 안 가지고 왔지?”

“아, 응……. 딱히 상관없어, 하룻밤 정도는.”

루나의 말을 듣고 오늘은 여기서 혼숙을 해야 한다는 걸 깨달았다. 언니에게서 눈을 뗄 수 없을 테니, 뭐, 그렇게 되겠지.

“나, 여기로 올 때 칫솔만큼은 많이 사 뒀어. 혹시 마리아가 쓸 수도 있다고 생각해서. 괜찮으면 써.”

“고마워.”

나는 루나에게 받은 새 칫솔로 이를 닦으며 욕실로 향했다.

작은 세면대 위에 칫솔 두 개가 꽂혀 있는 플라스틱 컵이 있었다. 검은색 칫솔과 하얀색 칫솔.

루나의 언니와 남자친구의 것이려나. 그래도 쓰다 남은 칫솔이라고 가져가지 않았던 모양이다.

“……미안한데, 어느 컵으로 입을 헹구면 돼?”

방으로 돌아가 루나에게 묻자, 마찬가지로 이를 닦고 있던 루나가 ‘그게 말이지’라고 말하며 자리에서 일어섰다.

“그냥 컵으로 헹궈도 돼. 이쯤에…….”

부엌 위쪽 찬장을 열자 안에 머그 컵 여러 개가 늘어서 있었다.

색만 다르고 무늬는 같은 머그 컵이 두 개씩 반듯하게.

"……."

루나의 언니와 남자친구의 동거 흔적을 집 안 여기저기에서 목격하자, 어쩐지 마음이 뒤숭숭했다.

동거라…….

루나와도 결혼을 하기 전에 역시 동거부터 시작하려나?

이런 식으로 칫솔 두 개를 나란히 놓고, 머그 컵도 세트로 사거나 하겠지……?

틀렸다, 부끄러워지기 시작했다. 견본이 눈앞에 있다 보니 너무나도 생생하게 상상이 갔다.

"후호, 히한."

세면대에서 머그 컵을 손에 들고 멍하니 서 있는데, 색이 다른 머그 컵을 든 루나가 뒤에서 말을 걸어 왔다. 아마도 '류토, 미안.'이라고 말한 것이리라.

내가 세면대 앞을 양보하자, 루나는 머그 컵의 물로 입을 헹구고는 세면대에 뱉었다.

치약 때문에 뿌옇게 흐려진 점성 있는 물이 쓸려 내려가는 것이 눈에 들어오자, 호텔에서는 느끼지 못했던 생활감에 어쩐지 가슴이 두근거렸다.

동거하면, 결혼하면…… 이런 매일을 둘이서 보내는 걸까…….
그런 생각을 하면서.

"와아앙, 라이!"

그때, 루나의 언니가 갑자기 소리를 질렀다.

시선을 주자 루나의 언니가 침대에서 벌떡 일어나더니 비틀거리며 몸을 일으켜 세우려 하고 있었다.

"무리야아, 날 보고 어떡하라는 거야~."

루나의 언니는 잠이 덜 깼는지 눈을 감은 채로 좀비처럼 휘청거리며 걸음을 뗐다.

"언니……?! 괘, 괜찮아?!"

루나와 내가 지켜보는 가운데, 언니는 부엌으로 다가가 냉장고 문을 열었다.

안에서 꺼낸 것은 은색과 연한 파란색의 기다란 캔이었다. 옆면에 'STRONG'이라고 적혀 있다. 스트롱 계열 츄하이다.

언니는 눈을 감은 채로 푸슉 소리를 내며 풀탭을 당기고는 캔에 입을 댔다.

꿀꺽거리며 목울대가 움직이고, 캔의 각도가 점점 얼굴과 수직에 가까워진다.

"푸하아……."

놀랍게도 500미리리터짜리 캔을 단숨에 들이켠 루나의 언니는 캔을 싱크대에 내던졌다. 가벼운 알루미늄 소리에 안이 비어 있었다는 걸 알 수 있었다.

"……."

나와 루나가 얼이 빠져 있는 사이, 언니는 다시 비틀거리며 걸음을 떼더니 침대로 돌아갔다.

그리고는 잠들었다.

“…….”

“……저거, 알코올 도수가 높은 거 맞지? 괜찮은 거야?”

망연해하는 루나에게 나는 머뭇거리며 물었다.

루나는 굳은 표정으로 미소를 지었다.

“글쎄……. 그치만 낮에도 저걸 몇 캔이나 마셨으니까, 술에는 강한 편일 거라고 생각해…….”

“그, 그렇구나…….”

본가에서 같이 지낸 게 미성년자였을 때라서 그런지 루나도 언니의 주량은 잘 모르는 눈치였다.

“……있지, 류토.”

언니가 잠든 틈을 노려 양치질을 끝낸 루나가 입을 열었다.

“아까까지만 해도 혼자서 불안했는데…… 와 줘서, 정말로 살았어. ……고마워.”

욕실과 부엌 사이에 서 있던 나를 향해 눈앞에 선 루나가 미소를 지었다.

“……루나 혼자서 고생이 많았겠네.”

“응. ……그래도 소중한 언니니까.”

웃는 얼굴로 말하는 루나를 보며 나는 전에 루나와 쇼핑몰에서 쌍둥이를 보살폈던 때를 떠올리고 있었다.

—나한테 언니는 반쯤 엄마였어. 아무래도 쌍둥이는 한 명씩 태어나는 형제보다 동시에 손이 많이 가니까. 엄마가 미처 신경 쓰지 못한 부분을 커버해 준 언니한테는, 지금도…… 엄청 고마움을 느끼

고 있어.

그런 식으로 생각할 만큼 소중한 언니니까 말이지……. 그렇게 생각하는데, 루나가 불현듯 나를 보았다.

"내가 류토한테 '치짱' 얘기를 했던가?"

"아……, 고양이 인형 맞지?"

그 이름을 듣자, 루나가 어린 시절부터 아끼던 봉제 인형이 마침 그런 이름이었다는 게 생각났다. 얘기를 들은 것도 본 것도 고등학교 때 일이라 루나에게 들었는지 쿠로세에게 들었는지조차 애매하지만.

"맞아. 어렸을 때 큰아버지가 마리아에게 사 줬지만 별로 갖고 놀지 않길래 내가 받아 갔는데, 얼마 지나지 않아서 마리아가 '돌려달라'고 하고 내가 '싫다'고 해서 싸움이 나게 만든 아이지."

"응."

그러고 보니 그런 얘기였다.

"……난 말이지, 실은 그때 마리아에게 치짱을 돌려주려고 했어."

루나가 불쑥 그렇게 말했다.

"애초에 마리아한테 사 준 거였으니까 어쩔 수 없다고……. 하지만 내가 리본을 묶고 옷도 입혀 주면서 아꼈던 애라 그런지 애착이 생겨서…… 사실은 돌려 주기 싫다고, 혼자서 울고 있었어. 그랬더니 그걸 본 언니가 '싫으면 싫다고 말해도 된다'고 하는 거야."

당시의 기억이 떠올랐는지 루나는 그리운 듯이 눈을 가늘게 떴다.

"그래서 나, 마리아한테 솔직하게 말했어. '싫다'고."

그렇게 말하며 루나는 살며시 미소 지었다.

"언니가, 마리아도 설득해 줬어. '사실은 이 애를 원하는 게 아니잖아. 루나가 소중히 아끼니까 욕심이 생긴 거잖아.'라고. ……그래서 우리들은 화해할 수 있었어."

그랬구나.

어린 시절의 루나와 쿠로세에게 언니라는 존재가 얼마나 컸는지 조금 상상이 가는 것 같은 기분이 들었다.

"나는 언니한테 중요한 걸 배웠어. '자신의 감정을 상대에게 말하는 것이 얼마나 중요한지'를 말이지. 그 말이 상대방을 상처 입힐 수도 있지만, 그렇다고 해서 입을 다물면 그때는 내가 계속 상처 받게 된다는 걸."

루나의 말에 나는 깊은 고민에 잠겼다.

그런가……. 하지만 내가 참는 걸로 일이 원만하게 수습된다면, 말하지 않는다는 선택지도 있는 것 아닌가?

"하지만 그런 언니의 외로움은 우리가 어떻게 해결해 줄 수 없었어. ……계속 무리하고 있었겠지. 초등학생 때부터 우리를 보살펴 줬던 것도……. 아빠랑 엄마의 이혼도, 우리랑은 달리 이해하고 받아들여야 하는 입장이었으니까."

루나는 그렇게 말하며 침울한 기색으로 고개를 숙였다.

"우린 언니가 고등학교를 졸업하자마자 바로 집을 떠나고 나서야 그걸 알았어."

내가 가만히 귀를 기울이자, 루나가 말을 이어갔다.

"나는 처음엔…… 언니가 '아이가 될 수 있는 곳'을 찾아 떠난 거라고 생각했어. 계속 집에 있어 봤자, 언니는 엄마의 대역이 될 수밖에 없었으니까. ……하지만 언니가 사실은 남자친구한테도 엄마 역할을 하고 있었다는 걸…… 나중에야 알게 됐지."

"그렇구나……."

간신히 맞장구를 친 내게 루나가 별안간 미소를 지었다.

"마리아랑 자주 얘기해. '이제부터는 우리가 언니의 응석을 받아 주자'고. 그러니까 이 정도는 아무것도 아냐."

"루나……."

조금 전 침대에서 자애에 찬 표정으로 언니의 옆에 붙어 자던 루나가 떠올랐다.

루나의 헌신에 그런 이유가 있었을 줄이야.

어린 시절 부모님이 이혼하고 자신들을 보살피느라 강제로 어른이 돼 버린 언니를 향한 감사와 위로, 애정이 담겨 있었던 것이리라.

언니에 대한 루나의 마음을 들은 나는, 다시금 그녀에게 존경심과 사랑스러움을 느꼈다.

"……루나는 정말 대단해. 내가 할 수 있는 일이 있다면 뭐든지 말해 줘."

루나는 그 말에 살짝 난처한 듯이 웃었다.

"……정말?"

"응."

"……난, 류토가 와 준 것만으로도 감사하고 오늘 밤 같이 있어 주는 것만으로도 마음이 든든해……. 그래서 여기서 더 바라는 건 염치없는 짓이라고 생각했지만…… 그래도, 류토가 그렇게 말해 준다면…… 하나 부탁해도 될까?"

"응?"

뭘까, 하고 생각하는데 루나가 미안해하는 듯한 얼굴로 입을 열었다.

"류토, 내일 볼일이 있어?"

"아니, 딱히 없어."

"……나, 내일은 아침부터 하루 종일 일이 있거든. 저녁에는 마리아가 와 줄 예정인데, 그 전까지…… 언니를 봐 주면 안 될까?"

"뭐?! 나 혼자……?!"

놀라서 되묻자 루나는 더더욱 미안한 표정을 지었다.

"무리라면 어쩔 수 없지만…… 아직 저런 상태니까…… 혹시라도 사고가 날까 봐 걱정이 돼서."

확실히 베란다에서 뛰어내리려고 했다는 얘기는 가볍게 넘길 수 없었다. 여기는 3층이라 부상으로 끝날 가능성도 있지만, 걱정이기는 했다.

루나는 전문학교를 다니고 있어서 저녁과 주말 위주로 의류매장 일을 하고 있다. 혼자라는 건 어색하고 불안했지만, 내가 여기에 있는 덕에 루나가 일에 집중할 수 있다고 생각하니 결심이 섰다.

"알았어. 그럴게."

"고마워……. 소중한 일요일인데, 미안해."

루나가 미안한 듯이 눈썹을 찡그렸다.

"괜찮아. 내가 '뭐든지 말해 달라'고 한 거잖아."

"고마워……."

"그럼 시간도 벌써 이렇게 됐으니까, 그만 잘까?"

TV 장식장에 놓여 있던 아날로그 시계가 곧 자정을 가리키려 하고 있었다.

하루 종일 언니의 한탄을 받아 주느라 긴장을 풀지 못했고 내일도 아침부터 서서 일할 루나의 몸 상태를 염려해 말한 내게, 루나는 '그러게.' 하고 대답했다.

나와 루나는 언니의 침대 밑에 커다란 수건을 깔고 나란히 누웠다. 넓지 않은 방이라 테이블을 치워 둔 상태였는데도 내 바로 옆은 TV 장식장이었다.

이불 대신 담요 하나를 가로로 돌려 둘이 함께 덮었다.

루나가 리모컨으로 불을 껐다.

……왠지 이상한 느낌이다.

루나의 언니가 있으니 단둘은 아니지만, 언니는 자고 있고 그렇다고 해서 이상한 일을 할 수는 없는 상황이다.

눈을 감긴 했지만 그런 생각 때문에 가슴을 두근거리던 그때.

"……손, 잡아도 돼?"

옆에서 루나의 목소리가 들려와서 나는 눈을 떴다.

루나가 이쪽으로 고개를 돌려 나를 보고 있었다.

"……응."

손을 내밀자 루나의 손이 스르르 감겨들었다.

벌써 몇 번을 잡았는지 알 수 없는 손.

이 안에 있을 그녀의 온기에 다다르고 싶다는 충동을 내가 그동안 얼마나 참아 왔는지.

그런 생각을 하다 보니, 에노시마의 여관에서 보냈던 하룻밤이 떠올랐다.

"……저기, 이러고 있으니까 에노시마의 여관에서 자고 갔을 때 생각이 나지 않아?"

루나의 말에 퍼뜩 정신이 들었다.

"……나도 방금 같은 생각을 하고 있었어."

그런 나에게 미소를 지으며 루나가 살며시 입을 열었다.

"류토. 오키나와에서는…… 미안했어."

"어?"

"아카리의 임신이 너무 충격적이라…… 이런저런 생각이 많아져서, 그때는 왠지 그럴 상황이 아닌 것 같다는 기분이 들었는데."

루나가 천장 쪽으로 고개를 돌리며 천천히 말을 꺼냈다.

"류토는 남자니까, 역시 야한 일을 하고 싶었던 게 아닐까 하는 생각이, 돌아오고 나서야 들더라구."

"……뭐, 그건 이제…… 됐어. 루나의 마음이 제일 중요하다고 생각하니까."

루나의 언니가 깨서 들었다간 민망할 얘기라, 짧게 끝내고 싶어서 그렇게 말했다.

그런 나에게로 고개를 돌리며 루나가 눈썹을 아래로 늘어뜨렸다.

"정말. ……류토는 너무 다정해. 오늘도…… 설마 와 줄 거라고는 생각도 못 했어."

그러고는 살짝 생각에 잠긴 표정을 지으며 입을 열었다.

"난 있잖아, 류토?"

"응?"

"류토가 내 마음만큼…… 스스로의 마음도 소중히 여겼으면 좋겠어."

어둠 속에서도 진지한 그 표정에 문득 마음이 뭉클해졌다.

"진심이거든? 난, 정말로 류토를…… 사랑하고 있으니까."

수줍게 미소 지으며 속삭이는 말에, 두근거림으로 가슴이 조여들었다.

"응. ……고마워."

맞잡은 손이 따뜻하다.

하지만 이 손이 소중하기 때문에, 나는 너에게 진심을 내보이지 못하고 있다.

내보인다고 해도, 이런…… 다른 사람이 들을지도 모르는 곳에서 할 수는 없었다.

그로 인해 다소 고통을 겪고 있다고 해도, 그것이 내가 선택한 최선이라고 생각했다.

◇

"그럼 언니 잘 있어. 난 일 나갔다 올게. 류토한테 대신 있어 달라고 했으니까 난처하게 하면 안 돼, 알았지? 저녁에는 마리아가 올 거니까."

"응……."

아침이 오고 루나가 출근할 시간이 되어도 언니는 이불을 뒤집어쓴 채 침대에서 일어나지 않았다.

준비를 마친 루나는 언니에게 말을 건 뒤 나에게 '그럼 다녀올게.' 라고 말하고는 현관으로 향했다.

나도 루나를 배웅하러 현관으로 갔다.

루나는 내게 등을 보인 채 발꿈치를 한쪽씩 들고 절묘하게 균형을 잡으며 하이힐을 신고 있었다.

그 너머로 손잡이에 비닐우산이 걸려 있고, 여자 구두가 빼곡히 놓여 있는 생활감 넘치는 현관이 보였다. 그것이 어쩐지 루나와 함께하게 될 미래의 일상을 연상시켜서, 괜스레 가슴이 두근거렸다.

"그럼 다녀올게."

"잘 다녀와."

그런 대화를 나누고 있자니 어째 낯간지러워졌다. 루나도 같은 타이밍에 비슷한 기분을 느꼈는지 멋쩍게 미소를 지었다.

"……왠지, 동거하는 것 같네."

"……그러게."

나는 민망한 나머지 루나에게서 시선을 돌리며 웃었다.

그래서 '응!'이라는 루나의 목소리에 다시 그녀를 봤다가 심장이 멈출 만큼 흠칫거렸다.

"……!"

루나는 눈을 감고서 나에게 똑바로 얼굴을 향하고 있었다.

살짝 둥글게 만 입술을 내 쪽으로 쭉 너밀고 있다.

이, 이건…… 설마……!

추, 출근…… 뽀뽀?!

저도 모르게 뒤를 돌아보자, 루나의 언니는 여전히 머리부터 이불을 뒤집어쓴 채 침대와 한 몸이 되어 있었다.

그렇다면……. 나는 루나에게 얼굴을 가져갔다.

루나의 언니라고는 해도 다른 사람의 집에서, 여자친구에게 잘 다녀오라는 키스를 한다는 스릴과 배덕감에 가슴을 두근거리며 살며시 입술을 포갰다.

그 순간, 루나가 쪼아 먹을 듯이 입술을 오므리더니 접촉한 부분에서 쪽 소리가 났다.

"……!"

다시 뒤를 돌아보고 말았다. 언니의 모습에 변화는 없어서 안도했다.

"……후후."

시선이 마주친 루나가 부끄러운 듯이 미소 지었다.

"다녀올게♡"

루나가 달콤하게 속삭이며 문을 열었다. 루나의 달콤한 잔향이 내 콧속을 희롱하듯 간지럽혔다.

"다녀와……."

"그럼 이따 봐, 류토."

살랑살랑 손을 흔드는 루나의 웃는 얼굴이, 직사각형으로 시작해 점점 길고 가늘게 잘려 나가다가.

철컹 하는 소리와 함께 단절됐다.

나는 그 뒤에도 금속 문을 바라보며 한참을 히죽거리고 있었다.

그녀가 입술에 남기고 간 체온의 여운을 곱씹으면서.

◇

루나의 언니는 그 뒤로도 몇 시간을 침대에서 죽은 듯이 잠들어 있었다.

아무리 루나의 언니라지만 묘령의 여성이 옆에서 자고 있다는 상황에 동요하지 않을 수는 없어서, 나는 최대한 침대가 시야에 들어오지 않을 위치에 앉아 스마트폰으로 만화를 읽었다.

"……으응……."

신음 소리처럼 나른한 목소리가 들려와서 나는 침대를 확인했다.

이불 밖으로 나온 한쪽 손이 뭔가를 요구하듯이 움직이고 있다.

"……울……."

"엥?"

"무울……."

아, 물이구나.

"……자, 여기요."

테이블에 어제 산 미네랄워터 페트병이 놓여 있어서 그것을 집어 침대 밖으로 뻗어 나온 손에 건네려고 했다.

그때였다.

"……라이?!"

루나의 언니의 손이 페트병이 아닌 내 손을 잡았다.

"라이이이이이!"

갑자기 이불을 퍽 차올리며 루나의 언니가 침대에서 일어났다.

"라이, 왜 갑자기 집을 나간 거야?! 내가 얼마나 외로웠다구우우우!"

놀라서 엉덩방아를 찧은 내게 덤벼들 듯이 매달리며 루나의 언니가 내 가슴에 얼굴을 묻고 비볐다.

"이제 절대, 다시는 나가면 안 돼애애애애!"

"아니, 저기요, 누님?! 저는 '라이'가 아니에요!"

명치 부근을 짓누르는 말랑말랑한 감촉에 당황하며 말하자 언니의 움직임이 뚝 멎었다.

"……어?"

팔의 힘이 풀리며, 루나의 언니가 얼굴을 들어 나를 올려다본다.

"류토예요……, 루나의 남자친구인……."

지근거리에서 어색한 미소를 짓는 나를, 루나의 언니가 물끄러미 쳐다본다.

이 각도에서 보자 한층 더 루나와 닮았다는 생각이 들었다.

"아……, 아하하. 미안. 그랬지."

언니도 정신이 들었는지 겸연쩍어하는 얼굴로 씁쓸하게 웃었다.

"……남자 목소리가 나길래, 라이가 돌아온 줄 알았어."

포동포동한 두 팔과 말랑말랑한 감촉이 떨어지자 드디어 한숨을 돌릴 수 있었다.

나올 곳 외에는 날씬한 모델 체형의 루나와 달리 루나의 언니는 전체적으로 육감적인 몸매를 가지고 있었다. 이렇게 매력적이고 헌신적인 여자친구를 버리고 떠날 수 있다니 그 남자친구는 대체 어떤 녀석인 건지 순수하게 의문이 들었다.

"……물, 고마워."

루나의 언니가 내가 바닥에 내팽개쳤던 페트병을 주워 입에 댄다. 아직 어색한 공기가 감돌고 있었기에 마셔도 기껏해야 한 모금 정도일 줄 알았는데, 단숨에 3분의 2쯤 되는 양을 들이켜서 어쩐지 재미있는 사람 같다고 생각했다.

"……남자친구랑은 어디서 알게 되셨어요?"

화제가 없으면 불편해서 물어보자, 루나의 언니는 씁쓸한 표정으로 미소를 지었다.

"우리 가게 손님이었어. 처음에는 지명 없이 가게를 방문했는데 마침 내가 담당이 됐고, 그다음부터는 나를 지명해서 와 주게 됐어."

무직인 사람이 미용실을 다닌다고……. 천 엔 헤어 커트샵 단골인 내가 그런 생각을 하는데, 루나의 언니가 그 생각을 간파한 듯이 말을 이어갔다.

"길거리 뮤지션이니까 겉모습은 언제나 잘 정돈해 두고 싶다고 했어. '저녁밥은 매일 숙주나물이지만' 하고 웃는데, 그게 왠지 가슴을 울리더라구……. 그때 마침 전 남친이랑 헤어진 참이라서, 나도 모르게 '우리 집에 올래?'라고 말해 버렸어."

"……."

그런 길고양이를 줍는 것 같은 느낌으로 남자친구를 만들어도 되는 거냐고.

그렇게 말한다고 냉큼 굴러 들어가는 남자도 남자지만, 이런 거유 미녀에게 그런 말을 들었다고 생각하면, 마음은 어느 정도 이해가 간다.

루나의 언니가 불쑥 혼잣말하듯이 말했다. 내리깐 눈동자가 다가올 눈물을 예고하듯 일렁이고 있었다.

"남자친구가 빈둥거리기만 하는 사람이라도 괜찮았어. 아무것도 못 해도 그만큼 내가 다 해 주면 되니까…… 그렇게 생각하며 사귀었고, 옆에 있어 주는 것밖에 바라지 않았는데……. 그 바람조차 더는 들어주기 싫다고 생각할 만큼 내가 싫어진 걸까?"

"……."

나는 아무런 말도 하지 못한 채 가만히 울먹이는 루나의 언니를 지켜보았다.

"……외로운 사람이지, 난. 가족처럼 옆에 있어 줄 사람을 계속 찾아 헤매고 있어."

"……."

시라카와 가의 가정환경을 떠올리자 더 아무런 말도 할 수 없어진 내게로 시선을 보내며, 루나의 언니가 불현듯 미소를 지었다.

"……루나도 그런 연애를 하고 있을 줄 알았는데, 그 애는 달라진 것 같네. ……류토 덕택에 말이지."

"아뇨, 저는 아무것도……."

나는 멋쩍은 마음에 고개를 숙였다.

"루나……, 루나 씨가 멋진 여자라서 그래요. 저한테는 아까울 만큼……."

"그런가?"

고개를 들자 루나의 언니는 살짝 씁쓸한 미소를 짓고 있었다.

"류토는 호오대생이지? 나야말로 우리 루나로 괜찮은 건지 의문이 드는데."

"……저는 루나 씨가 좋아요. 루나 씨가 아니면…… 싫습니다."

그런 나를 루나의 언니가 흐뭇한 기색으로 눈을 가늘게 뜨며 바라보았다.

"좋겠어, 루나는……."

그 얼굴에 쓸쓸한 기색이 어리더니, 루나의 언니는 살짝 고개를 숙였다.

"나도 라이가 아니면 싫다고 생각했어. ……지금도, 그렇게 생각해."

그렇게 말하며 자조 섞인 미소를 짓는다.

"하지만 라이는 그런 내가 싫어졌겠지……."

"……."

루나의 언니와 남친에 관해서는 나처럼 경험이 부족한 애송이는 아무것도 해 줄 수 있는 말이 없어서 그저 난처할 따름이었다.

그런 나의 곤혹스러움이 전달됐는지, 루나의 언니는 문득 고개를 들더니 얼버무리듯이 미소를 지었다.

"류토. 루나를 잘 부탁해. 루나도 틀림없이 류토가 아니면 안 될 거라고 생각하니까."

허를 찌르는 말에 반사적으로 고개를 끄덕이는 정도밖에 반응하지 못했다.

루나의 언니는 그런 나를 친애의 정이 담긴 눈길로 바라보았다.

"우리 가족이 미처 주지 못했던 행복을, 그 아이가 느끼게 해 줬으면 좋겠어."

"……네. 분발하겠습니다."

진지한 기분이 들어 깊이 고개를 끄덕인 나를 보며 루나의 언니는 재미있다는 듯이 웃었다.

"그렇게까지 분발하지는 않아도 괜찮아."

"네?"

"너무 열심히 했다간 나처럼 돼 버리니까."

"……."

재차 할 말을 잃은 내게서 시선을 돌리며, 루나의 언니가 조용히 말했다.

"행복이란 건 어느 한쪽이 노력해서 만드는 게 아니라…… 두 사람이 서로 양보함으로써 생겨나는 거라고 생각하니까."

벽 너머에서 탕 하고 문이 닫히는 소리가 났다. 옆집 사람의 생활 소음이 들릴 만큼 고요한 가운데, 나는 잠시 동안 루나의 언니가 한 말을 속으로 되짚어보고 있었다.

◇

저녁 때쯤, 갑자기 현관문이 열리더니 쿠로세가 들어왔다. 그러고 보니 루나가 출근하고 나서 문을 닫지 않았던 것이 생각났다.

"아, 진짜로 카시마가 있네."

시선이 마주친 나를 보며 쿠로세가 살짝 놀란 듯이 눈을 크게 뜨더니, 잠시 후 입꼬리를 올렸다.

"……어쩐지 이상한 느낌이네. 이런 데서 얼굴을 보다니."

"그, 그러게."

벌써 쿠로세와 가족이 된 것 같은, 어색함인지 부끄러움인지 알 수 없는 감정에 나는 횡설수설했다.

"……누님은 한 시간쯤 전에 도수 높은 츄하이 두 캔을 비우고 잠드셨어."

루나의 언니는 처음에는 온화하게 얘기했지만, 갑자기 발작처럼 '라이~!'를 외치며 통곡을 시작하더니 내가 쩔쩔매는 사이 울면서 술을 들이켜고는 순식간에 만취해 침대에 쓰러져 버렸다. 나로서는 어쩔 도리가 없었다.

"그랬구나……."

쿠로세는 어쩔 수 없다는 듯이 눈썹을 늘어뜨리며 침대에 있는 언니 쪽을 보았다.

"……언니는 정말."

그래도 그 얼굴에는 애정이 넘쳐흐르는 듯했다.

—마리아랑 자주 얘기해. '이제부터는 우리가 언니의 응석을 받아주자'고.

루나가 했던 말을 떠올렸다. 가족 앞에서는 조금 쿨하게 행세하고 싶어 하는 쿠로세도 속으로는 분명 루나와 같은 마음일 거라고 생각했다.

"카시마한테는 폐를 끼쳐서 정말로 미안했어. 길이 머니까 조심해서 돌아가."

"응, 고마워."

"……아, 그렇지."

내가 돌아갈 채비를 하고 현관으로 가자, 쿠로세가 그런 나를 불러 세우듯 말을 걸어 왔다.

"그래서 식사 모임은?"

"아! 쿠지바야시한테 말했더니 '언제든지 괜찮다'고 했어. 어쩐지 기뻐하는 것 같던데?"

"흐응, 그래. 그럼 둘 다 마음이 변하기 전에 시간을 잡자. 나도 언제든지 괜찮으니까. 지금 당장은, 이 일…… 언니 문제로 바쁠 것 같긴 하지만."

"알았어."

"그럼, 나중에 메시지를 보내거나 편집부에서 얘기해 줘."

"응."

가볍게 손을 마주 흔든 뒤, 나는 루나의 언니의 집을 나왔다.

오후 5시를 향해 가는 9월 하늘은 아직 환했지만, 거리에는 해 질 녘의 분위기가 감돌고 있었다. 나의 일요일이 끝났다.

타인과 함께 지내기에는 폐쇄적인 느낌이 드는 실내에서 한나절 이상 한 걸음도 밖으로 나가지 못한 채 보냈다고 생각하자, 어쩐지 신기한 기분이 들었다.

어렴풋한 기억과 인파의 흐름에 의지해 역으로 가는 길을 걸으며 내가 떠올린 건 맨정신일 때 루나의 언니가 했던 말이었다.

—행복이란 건 어느 한쪽이 노력해서 만드는 게 아니라…… 두 사람이 서로 양보함으로써 생겨나는 거라고 생각하니까.

그런 의미에서도 나와 루나는 행복하다.

행복…… 한 거겠지?

딱 하나, 마음에 걸리는 구석이 있다면…… 그건 도무지 찾아올 기미가 없는 첫 경험 정도다.

그래도 고작 그 점 하나만으로 '문제가 있다'고 단정해 버리는 건, 어쩐지 몸을 목적으로 사귀는 것 같아서…… 라고 생각하는데, 또 하나의 자신이 '아냐!' 하고 강력하게 항의했다.

몸이 목적일 리가 없다. 사귀고 나서 벌써 4년이 넘도록 나는 얌전히 그때를 기다려 왔다. 이쯤이면 신도 내 이마에 '몸이 목적이 아닌 남자'라는 도장을 찍어 줬을 거다. 뭐야, 그 도장.

실제로 잇치와 타니키타는 사귀기 시작한 지 반년 만에 갈 데까지 갔다. 요즘 커플들도 그게 보통이겠지? 뭐, 임신까지 할지는 별개로 쳐도…….

—우리…… 여기까지 온 거, 어쩌면…… 결혼을 먼저 하는 것도 괜찮은 선택지 아닐까?

루나는 그렇게 말했지만.

결혼이라고? 말도 안 돼!

결혼이 싫은 게 아니다. 단지 결혼까지 기다릴 수 없는 거다.

더는 기다리고 싶지 않다. 그렇잖아, 난 이미 충분히 기다렸다고.

이것이 나의 거짓 없는 진심이다.

하지만 그때는 왜 바로 그렇게 말하지 못했을까.

눈치가 보여서? 4년이 넘게 사귄 여자친구에게?

아니, 틀렸다. 이건 눈치를 봐서 그런 게 아니다. 그도 그럴 것이, 루나는 내가 말했다면 반드시 내 의사를 존중해 줬을 거라고, 머리로는 이해하고 있으니까.

말하지 못했던 원인 중 하나는, 역시…… 내 남자로서의 자신감이 부족하기 때문이다.

어째서일까?

루나가 압도적으로 이성 경험이 많다는 건 사실이라도 해도, 그것만으로는 설명할 수 없는 이유가 있다는 기분이 들었다.

내 입으로 직접 말하기는 뭐하지만, 아까 루나의 언니가 말했듯이 학력으로는 루나를 상회하고 있고 미래 수입도 평균 이상은 기대해도 될 입장이라고 생각한다.

하지만 내 신분은 결국 학생이고, 아직 아무것도 손에 쥐지 못했다.

반면 루나는 한 차례 정직원으로 일했고 업무 능력으로 좋은 평가를 받은 몸이다. 제대로 자기 발로 서 있는 어른인 것이다.

그리고 지금은 자신이 '정말로 하고 싶은 일'을 찾아 그 꿈을 실현시키기 위해 노력 중이다.

하지만 나는 취업 준비를 할 시기가 시시각각 다가오는 와중에도, 자신이 어떤 직종에 종사하고 싶은지조차 모르고 있다. 아무것도 찾지 못한 상태다.

아무리 시간이 흘러도, 루나는 언제나 나보다 한발 앞서 걷고 있다.

경험 많은 너와 경험 없는 내가 사귀게 된 날부터.

루나를 향한 내 열등감은 지금도 계속 형태를 바꿔 가며 끊임없이 이어지고 있었다.

지금 이 상태로는, 나는 내 마음을 있는 그대로 그녀에게 전달할 수 없다.

얼른 확실한 것을 손에 쥐고 싶다.

내 안에 아직 잠들어 있는 가능성의 편린이라도 좋으니 손에 쥐고 싶다.

그러지 못한다면 나는 아무리 시간이 흘러도 주인이 내려주는 먹이를 기대하는 개처럼 루나의 안색을 살피기만 하는 남자친구가 돼버리리라.

그건 싫다는 생각이 강하게 들었다.

빨리, 얼른 찾아야 한다.

나는 조바심에 사로잡히며 역으로 이어지는 길을 걸었다. 사람들이 주변 골목길에서 큰길을 향해 몰려들고 있다.

오늘따라 사람들의 발걸음이 다들 뭔가에 쫓기고 있는 동지 같아서, 낯선 타인인데도 이상하리만큼 마음 든든하게 느껴졌다.

제1.5장 루나와 니콜의 긴 전화

"니콜, 고생 많았어!"

"루나도! 학교는 어때?"

"매일 엄청 공부하고 있어! 태어나서 처음이야~! 이렇게 공부하는 거!"

"진짜? 대단하다~!"

"니콜도 네일 학교를 다닐 때는 공부했잖아?"

"음~ 뭐, 나는 원래부터 좋아하던 일이라 아는 것도 많았으니까 이론 공부도 그렇게 힘들지는 않았어."

"나도 공부는 엄청 하고 있는데 힘들지는 않아! 그래서 깜짝 놀라고 있어."

"깜짝 놀랐다고 하니까 생각났는데, 아카리 임신 소식 대박이지 않아? 진짜로 기겁했다니까."

"그치……. 초등학교 동창들 중에는 벌써 결혼해서 엄마가 된 사람도 있지만, 그런 경우는 아니니까…… 충격이었어."

"아카리가 나한테 '루나가 경험이 풍부하니까 뭔가 조언을 받을 수 있을 것 같아서 제일 먼저 전화했다'고 말하던데, 그게 말이 되는 소리냐고! 이미 임신해 버렸는데 조언은 무슨 조언이야."

"아카리도 혼란스러웠겠지. 나도 혼란스러웠는걸."

"아~ 하긴. 남친이 있으니 남 일이 아니겠지."

"아카리의 얘기를 듣고…… 그렇구나, 피임해도 실패할 확률은 제로가 아니구나 라는 생각이 들더라고. ……류토와의 관계도 서두르지 않는 편이 나을 것 같아서, 류토한테 그걸 말해 버렸어."

"그런 말을 꺼낸 건 사고를 당할 확률이 있으니까 차를 타지 않겠다, 비행기도 타지 않겠다고 말한 거나 마찬가지 아냐? 아카리니까, 어차피 욕망에 눈이 돌아가서 대충 피임했겠지. 제대로 적절하게 하면 실패하는 일은 그렇게 흔치 않다고."

"맞아, 그거야. 나중에 생각해 보니까 정말로 그 말 대로지 뭐야."

"하지만 여행 중에는 이미 그럴 분위기가 아니었고?"

"응……. 마리아한테 얘기했더니 '그걸 두고 기우라고 하는 거야.' 라면서 한심해했어……."

"완전 맞는 말이다, 그거. 인스타에서도 봤거든, '사람이 느끼는 불안의 9할은 현실이 되지 않는다'고."

"……류토한테 미안한 짓을 했으려나."

"응?"

"안 그래도 실망했을 거라고 생각하거든. 내가 갑자기 생리가 터지는 바람에. 나도 아쉬웠고…… 그래서 류토한테 입으로 해 주겠다고 얘기했는데, 그때 마침 아카리한테서 전화가 와서……."

"헐, 타이밍이 최악이잖아! 아카리답다!"

"그래서, 그런 걸 할 분위기가 아니게 돼 버려서, 다음 날도."

"헐~, 안됐다. 완전 고생했겠는데?"

"……그런가?"

"그렇겠지~. 남자잖아."

"그치만, 그건 말해 주지 않으면 알 수 없다구. 나는 여자니까, 그렇게까지 하고 싶다는 욕구가 없는걸."

"말했으면 루나는 그럴 기분이 아니라도 억지로 해 줬을 거라고 생각한 거 아닐까? 막 사귀기로 했을 때처럼."

"그치만 우리 사이는 이제 그럴 단계를 지났잖아? 결혼해서 부부가 돼도 류토가 평생 자기 속마음을 말하지 않고 참으면서 나한테 맞추게 놔두란 말이야? 그게 바람직한 관계라고 생각해?"

"으음……."

"나는 류토가 좀 더 강하게 자기주장을 해 줬으면 좋겠어. 류토는 다정하니까, 늘 자기 기분보다 내가 어떻게 하고 싶은지를 고민하는 것 같아서……."

"뭐~, 예전 남친들과는 정말 반대긴 하지."

"너무 예전이라 류토 말고 사귀었던 사람들이 어땠는지는 이제 거의 기억이 안 나."

"아하하, 진짜?! 여자의 사랑은 덮어쓰기라더니!"

"뻔뻔하다고 할지도 모르지만…… 나한테 류토는 이미 '처음이자 마지막 연인'이란 느낌이거든."

"이렇게 오래 사귀었으니 그렇겠지."

"그래서 류토가 내 마음을 소중히 여겨 주는 것처럼, 나도 류토의 마음을 소중히 여기고 싶어. 그러니까 제대로 말해 줬으면 좋겠어."

"……남자들이란 왜 그렇게 자기 마음을 말하지 않는 걸까?"

"세키야 씨랑 니시나도 그랬어?"

"응……, 그렇지. 렌하고는 줄곧 친구였으니까, 무슨 생각을 하고 있는지는 대충 알지만, 뭐, 말하기 힘들겠지. 그게 나에 대한 불만이라면 더더욱."

"그래서 난 늘 물어봐. '나는 이렇게 생각하는데 류토는 어떻게 생각해?' 하고. 그런데도 '그러게.'라는 대답밖에 돌아오지 않아서……. 정말로 그런 걸까? 하는 의문이 생겨 버려."

"네가 자기를 압박한다고 생각하는 거 아냐?"

"안 그래! 나는 진짜로 류토의 마음을 알고 싶어서 말하는 거야!"

"아하하."

"……얼마 전에도 언니의 집에서 물어봤지만 결국 대답은 듣지 못했어……, 류토의 진짜 속마음."

"그렇구나……."

"나는 류토가 떼를 써 줬으면 좋겠어! 내가 '안 하는 편이 나으려나?' 하고 망설이고 있으면 확 끌어안으면서 '싫어, 루나랑 하고 싶어!'라고 말해 줬으면 좋겠다고!"

"아하하, 드라마를 너무 봤다!"

"그치만 실제로 할지 어떨지는 둘이 서로 대화해서 결정할 일이잖아? 류토 본인의 마음을 말하는 게 내 마음을 존중하지 않는 일이 되지는 않지 않아?"

"뭐, 그렇긴 하지. 아무래도 초반의 역학관계가 영향을 미치고 있을 수도?"

"그 말은, 내가 류토를 깔아뭉개고 있다는 뜻이야?!"

"그런 뜻이 아니라, 루나는 학교에서 일군에 속해 있던 여자애였고 저쪽은 평범했으니까, 열등감을 느끼는 거 아닐까?"

"그게 뭐야?! 그게 이거랑 무슨 상관이야? 심지어 이미 졸업도 했다고."

"그렇긴 하지만."

"난 류토랑 둘이서 서로의 마음을 얘기하고 어떻게 할지 의논해서 다양한 것들을 함께 결정하면서 살아가고 싶어."

"……그렇구나."

"그래, 나는 '함께 결정하고 싶은' 거야. 내가 '○○○하고 싶어!', '하기 싫어!'라고 말하면 류토가 그걸 받아들이는 관계가 아니라."

"……그게 가능해진다면 이상적인 사이가 될 거라고는 나도 생각해."

"그치?"

"하지만 어려울걸. 사람은 자신도 상처 입기 싫어하고 상대방에게도 상처 입히고 싶지 않은 법이니까."

"……그게 무슨 뜻이야?"

"적어도 나는 렌을 제어하고 있거든. 렌과 연인으로 친밀해지려는 마음까지는 아직 들지 않아서, 렌에게 평소부터 무의식중에 '그런 분위기로 끌고 가지 말라'고 압박을 넣고 있지."

"……니시나한테 솔직하게 얘기할 수는 없어? '지금은 아직 그럴 마음이 들지 않는다'고."

"말할 수 없어. 그도 그럴 게, 그러면 렌이 상처받잖아. 속마음을 말한다는 건 그런 일이야."

"……하지만……."

"루나는 상대방과 서로 속마음을 털어놔도 상처받지 않을 거라고…… 다소 엇갈릴 수는 있어도 그걸 극복할 만한 신뢰 관계가 있다고 믿으니까 진심을 나누고 싶다고 생각하는 거지?"

"……듣고 보니 그런 것 같아."

"그 점이 나는 부러워. 나랑 렌은 지금 서로의 속마음을 얘기했다간 분명 관계가 끝나 버리고 말 테니까."

그렇게 전화를 마치고 나서 루나는 잠시 멍하니 있다가.

선반 위의 장신구 함을 열어 문스톤 반지와 피어스를 만지고는 살며시 한숨을 내쉬었다.

제 2 장

동정인 채로 대학교 3학년 여름이 끝났다. 이런 사태는 여름방학이 시작됐을 무렵에는 예상도 하지 않았다.

마음의 정리는 아직 전혀 되지 않은 상태였지만, 그럼에도 날들은 흘러갔다.

학기가 시작되고 얼마 지나지 않은 시점에 쿠지바야시와 쿠로세, 나와 루나 네 사람의 식사 모임이 열리게 됐다.

9월도 막바지로 접어든 일요일 밤 8시의 일이었다.

일단 일을 하면서 학교 공부도 하고 육아도 거들고 있는 루나가 가장 바빴기에, 그녀가 된다는 시간에 세 사람의 일정을 맞추느라 시간에 조금 공백이 생기고 말았다.

모임 장소는 이케부쿠로 동쪽 출구에 있는 가게로 정해졌다. 쿠로세가 웹으로 예약해 준 모양이다.

쿠지바야시가 혼자서 직접 가게에 가기는 싫다고 해서, 우리들은 역 구내 지하에 있는 이케후쿠로* 앞에서 합류하기로 했다.

5분 전에 이케후쿠로에 도착하자 이미 루나와 쿠로세가 와 있었다.

"아, 류토! 조금 이르지만 퇴근해도 된다고 점장님이 말해 줘서 일

* 이케부쿠로 역 지하에 있는 부엉이 조각상.

찍 마쳤어!"

"그렇구나, 고생했어."

쿠지바야시는 아직인가 싶어 스마트폰을 확인하려던 그때, 등 뒤에서 기척이 느껴졌다.

뒤를 돌아보자 쿠지바야시가 내 그림자처럼 바로 뒤에 찰싹 붙어서 있었다.

"우오오, 깜짝이야."

"아, 혹시 '소인'의 사람?!"

루나가 눈치채고는 나에게 물었다.

"'소생'이지만."

어김없이 정정하며, 나는 쿠지바야시를 소개했다.

"대학 친구인 쿠지바야시야."

"류토한테 얘기 들었어요! 류토의 여자친구인 루나예요, 잘 부탁해요~!"

"쿠로세는 두 번째로 만나는 거지. 같은 국문학 전공이니까 오늘도 잘 부탁할게."

"나야말로 잘 부탁해."

쿠지바야시로 말할 것 같으면 루나와 쿠로세가 지어 주는 미소에.

"……."

한마디 말도 꺼내지 못한 채 눈을 내리깔고는 그저 고개만 까딱거렸다.

"……."

일말의 불안감을 느끼며 우리들은 역을 나와 가게로 향하기 위해 걸음을 뗐다.

가게의 위치는 쿠로세가 파악하고 있었기에, 루나와 쿠로세가 대화를 나누며 앞장서 걸음을 뗐다.

"시라카와 가 쌍둥이들은 이제 좀 얌전해졌어?"

"전에 비하면 그런 편이지. 더는 갓난아기가 아니니까. 뭐 때문에 우는지 알 수 없는 시간이 사라진 것만으로도 숨통이 트이는 느낌이랄까."

"지금 나이가…… 두 살하고도 3개월인가? 정말 빠르다."

"그치~. 나중에 다시 보면 이때도 한참 힘든 시기였다고 생각하겠지만, 두 달 전보다는 한 달 전이, 한 달 전보다는 지금이 조금 더 편해진 것 같다고 돌이켜볼 때마다 생각해."

"그렇구나."

"우리는 맏이가 아니니까 아무래도 공감하기 힘들지. 언니한테 말했더니 '맞다'면서 맞장구를 치더라고. '하지만 그 뒤에는 마의 싫어 싫어 시기가 기다리고 있다'면서 으름장을 놨어."

"……난 그런 멀쩡한 대화는 전혀 나누지 못했어……. 취해서 투덜거리는 말만 계속 듣고 있었다고……."

"아……, 뭐, 기복이 있긴 하지. 언니는 성인이 되고 나서 특히 마리아한테 어리광을 부리는 일이 많아졌으니까……. 그래도 다행이야. 사회에 복귀하게 돼서."

루나의 언니는 그로부터 약 일주일이 지난 뒤 결근했던 직장에 나가기 시작했고, 충동적으로 무슨 사고를 칠지 알 수 없었던 주정뱅이 생활도 이제는 청산한 모양이었다. 정말로 다행이다.

"그러게 말이야. 엄마랑 루나랑 나랑 타에 숙모로 24시간 감시 로테이션을 짜는 건 일주일만으로도 큰일이었어."

"맞아! 류토의 도움까지 받았고 말이야. 정말 고마워."

"덕분에 살았어."

그 대목에서 두 사람이 이쪽을 돌아보았고, 나는 그때를 생각하며 쓴웃음을 지었다.

"아냐, 도움이 돼서 다행이었어……."

대부분의 시간을 정말로 그저 지켜만 보고 있었는데 그걸로도 안심이 됐다고 하니, 나의 그 수수께끼 같은 하루에도 의미가 있었던 셈이다.

우리들이 그런 얘기를 나누고 있을 때, 쿠지바야시가 뭘 하고 있었냐면.

우리들 세 사람과 조금 떨어진 뒤쪽에서 혼자 고개를 숙인 채 걷고 있었다. 저녁 시간의 역 앞 보행자 도로라 다른 그룹이 몇 팀인가 사이로 들어오는 바람에 완전히 관계없는 사람 같다.

"……쿠, 쿠지바야시!"

나는 루나와 쿠로세에게서 떨어져 그의 옆에 나란히 서며 말을 걸었다.

"왜 이렇게 떨어져 있어?"

"……여인들의 수다에는 익숙지 않은 탓에."

"그래도 그냥 가까운 곳에 있어. 이상하잖아."

"이상함으로 말할작시면 소생 같은 동정 요괴가 눈부시게 아름다운 여인들과 무리 지어 걷고 있는 편이 세상 사람들 눈에는 훨씬 기이하게 비칠 것이오."

"동정인지 동정이 아닌지는 다른 사람들은 모른다고!"

"귀군에게는 보이지 않소? 소생에게는 보인다오."

"그런 이상한 스카우터*는 벗어!"

그런 얘기를 하는 사이 모임 장소로 정한 가게에 도착했다.

역과 가까운 건물 6층에 있는 전통적인 분위기의 선술집이었다. 등롱처럼 은은한 색감의 조명을 밝혀놓은 가게 안에는 벽 양쪽에 카마쿠라**처럼 하얀 돔으로 둘러싸인 개인실 좌석이 나란히 늘어서 있었다.

우리들이 안내받은 자리는 그 카마쿠라석 중 하나였다.

"와~ 멋지다! 마리아는 이런 가게를 잘 아네."

루나가 개인실 안을 둘러보며 눈을 빛냈다. 문이 없어서 언제든지 가게 내부를 볼 수 있었기에 정확히는 반 개인실 형태라고 해야겠지만, 삼면이 틀어막힌 테이블석이라 그런지 충분히 주위와 단절되어 프라이빗한 분위기가 났다.

"인스타에서 분위기 좋은 레스토랑을 구경하는 걸 좋아하거든. 가게도 잔뜩 북마크해 뒀어."

루나와 쿠로세는 재잘거리며 나란히 옆자리에 앉았고 나와 쿠지

* 『드래곤볼』에 등장하는 전투력을 측정하는 기계.

** 눈으로 만든 집.

바야시는 그 맞은편에 앉았다. 남녀 여러 쌍이 식사를 하러 갔을 때 늘 이렇게 맞선을 보는 듯한 구도로 자리가 배치되는 건 유구한 일본인의 습성인 걸까.

“건배!”

마실 것이 도착하자 루나가 쾌활하게 건배를 선창하며 회식이 시작되었다.

“와~, 이거 맛있다~!”

“진짜네.”

애피타이저로 나온 고마도후*를 두고 쿠로세와 수다를 떨고 있던 루나가 쿠지바야시 쪽을 보았다.

“마리아랑 쿠지바야시는 대학은 달라도 같은 분야를 공부하고 있다며?”

“아, 응, 국문학이야.”

쿠지바야시가 입을 떼지 않아서 대신 내가 대답했다.

“쿠지바야시는 모리 오가이 연구로 대학원까지 진학하려고 하고 있어.”

“헐~, 굉장하다! 모리 오가이…… 왠지 들어 본 기억이 나! 그런데 누구야?!”

“메이지 시대의 문호야. 고등학교 때 교과서에 실려 있었던 『무희』를 쓴 작가.”

“그런 것도 있었어? 음~, 고등학교 수업의 기억은 졸업하면서 사

* 참깨와 칡 녹말을 같이 끓여 굳힌 요리.

라져 버렸으니까."

루나의 말에 쓴웃음을 지으며, 나는 쿠로세에게도 말을 건넸다.

"쿠로세는? 분명 근대문학 제미*였지? 졸업 논문은 뭐로 쓸 거야?"

"나는 나쓰메 소세키."

"앗, 그건 나도 알아! 어쩌구 고양이 얘기를 쓰지 않았어? 고양이를 좋아하는 사람들 중에 나쁜 사람은 없으니까 작가도 좋은 사람일 거라고 생각했던 기억이…… 어라, 내 말이 틀렸어?"

루나의 해맑은 말에 나와 쿠로세는 웃음을 터뜨렸다.

"확실히 『나는 고양이로소이다』를 쓰긴 했지."

"고양이 하니까 생각났는데, 루나, 저쪽 난자 타운에 고양이 카페 같은 시설이 있다는 거 알고 있었어?"

"엥~, 몰랐어! 가 보고 싶어~!"

"오늘은 이미 영업이 끝났겠지만, 다음에 또 이케부쿠로에 오게 되면 가 보지 않을래?"

"갈래 갈래~! 마리아는 모르는 게 없네~!"

"고등학교 때 아카리랑 가끔 난자에 갔었거든. 최애랑 콜라보 했다느니 뭐니 해서."

"아~! 그랬구나!"

"루나가 고양이를 좋아하니까 알려 주려고 생각은 했는데 계속 까먹고 있었어."

"고마워~! 아, 고양이 하니까, 오키나와에도 엄청 귀여운 고양이

* 세미나의 약칭, 일본에서는 지도 교수 아래 소수의 학생이 모여 주제를 정하고 그에 관한 연구와 발표 등을 하는 수업을 말한다.

가 있었어~! 우미카지 테라스 쪽에…….”

루나는 자신의 스마트폰을 켜서 쿠로세에게 사진을 보여주기 시작했다. 사이좋은 자매라 함께 있으면 얘깃거리가 끊이지 않는 것이리라. 나는 두 사람이 어색했던 시기를 알고 있었기에 저도 모르게 흐뭇한 시선으로 그 모습을 지켜보고 말았지만.

옆자리의 쿠지바야시를 살피자 묵묵히 식사를 하고 있었다. 주문한 음료도 우롱차라 취기가 올라 긴장이 풀릴 일도 없을 것 같다. 설마 따분한 듯이 '고양이'처럼 등을 웅크리고 있는 자세가 쿠로세와 루나의 화제에 참가 중이라는 의지의 표현인 건 아니겠지.

그러자 그런 쿠지바야시의 상태를 알아챈 듯이 루나가 퍼뜩 이쪽을 보았다.

“……그러고 보니 쿠지바야시란 이름은 읽는 방법이 독특하네. 류토가 가르쳐 주지 않았다면 절대 못 읽었을 거야! '쿠지링'이라고 읽어 버렸겠지!”

'쿠지'는 읽을 수 있는 거야?! 그런데 '바야시'는 틀리는 거냐고! 나는 그렇게 생각했지만, 코미디언처럼 적절한 태클을 넣을 자신은 없었기에 그냥 속으로 삼켰다.

루나는 처음에 내 성을 '쿠와시마'라고 읽었을 만큼 독특한 센스를 가지고 있었기에, 납득하지 못할 일은 아니었다.

“…….”

쿠지바야시는 요리를 먹던 손을 멈추고 시선을 올렸다 내리며 쩔쩔매고 있었다. 어떻게 대응해야 좋을지 모르는 것이리라.

"있지, 쿠지링이라고 불러도 돼?"

"……엥?"

루나의 질문에 쿠지바야시가 오늘 처음으로 소리를 냈다.

검은 테 안경 안쪽의 눈동자를 사방으로 굴리고는 체념한 듯이 입을 열었다.

"……편하신 대로……."

쿠지바야시의 어조가 문어체가 아니게 되는 건 상당히 동요하고 있을 때다.

"와아~! 잘 부탁해, 쿠지링!"

"……."

쿠지바야시가 얼굴을 붉혔다. 역시 루나…… 라고 생각하는 한편, 나는 아주 살짝 복잡한 기분을 느꼈다.

아무리 내 친구라도 그녀가 눈앞에서 다른 남자와의 거리를 좁혀 나가는 모습을 보자 어쩐지 입맛이 썼던 것이다. 스스로도 옹졸하다고는 생각하지만.

나는 기분을 전환하려 남은 하이볼을 단숨에 들이켜고 두 잔째를 주문했다.

회식은 그런 느낌으로 주로 루나가 각자에게 말을 거는 형태로 진행되었다. 덕분에 대화가 끊어지는 일은 없었지만, 중요한 쿠지바야시와 쿠로세가 대화를 나눌 기회가 좀처럼 찾아오지 않았다.

아무튼 쿠지바야시는 자신에게 말을 거는 사람이 없는 상태가 되면 바로 속 껍질 속에 틀어박히고 말았기에 넷이서 함께 대화하는 것조차 어려웠다.

음료를 마시는 속도가 빨랐던 나는 한 시간도 지나지 않아 화장실에 가게 됐다.

"잠깐 화장실 좀."

그렇게 말하며 자리에서 일어서자, 어째서인지 쿠지바야시도 일어나 따라왔다.

"엥? 왜 그래?"

"……소생도, 용변을……."

"엇, 그럼 먼저 갈래? 변기가 하나뿐일지도 모르니까 자리에서 기다리고 있을게."

그렇게 말하며 자리로 돌아가려는데, 쿠지바야시가 덥석 팔꿈치를 붙잡았다. 무시무시한 얼굴로 고개를 가로젓고 있다. '같이 가자'고 하는 것 같다.

나는 그제야 비로소 그의 행동에 담긴 의미를 파악할 수 있었다. 화장실에 가고 싶은 게 아니라 여자 둘과 반개인실에 혼자 남는 상황을 버틸 수 없었던 거구나.

나이를 이만큼 먹고도 본의 아니게 친구와 같이 화장실을 가는 처지가 돼 버렸지만, 화장실은 1인실이었기에 순서대로 들어가는 걸로 일을 무사히 마칠 수 있었다. 먼저 나온 나는 문 근처에서 쿠지바야시를 기다려 줬다.

"아무튼 말이야, 모처럼 기회가 생겼으니까 쿠로세랑 좀 더 대화를 나눠 봐. 쿠로세한테 호감을 느끼고 있잖아?"

쿠지바야시의 심정도 이해하기에 가혹한 말이라고는 생각했다. 하지만 그와 같은 아싸 동정이면서도 루나와 사귄 세월이 오래되었다 보니 마인드가 제법 평범한 남성에 가까워져 있었던 나는 그의 행동이 답답해서 참을 수 없었다.

"……하지만, 소생 같은 동정 요괴와는 같은 자리에 앉아 있는 것만으로도 불쾌하기 그지없을 듯하여…… ."

"불쾌했으면 같이 식사하고 싶다고 말하지도 않았겠지. 이 모임을 원한 건 쿠로세거든? 쿠지바야시랑 친구가 되고 싶다고 생각하고 있을걸?"

"……."

내가 역설하자 이번에는 아예 입을 다물고 얼굴을 붉혔다. 어디까지 순진한 거야.

"하지만 그런 미소녀에게 소생 같은……."

"그러니까 안 보인다고!"

"소생에게는 보인단 말이오……."

"그러니까 그런 이상한 스카우터는 벗으라고!"

말하고 나서 나는 퍼뜩 생각했다.

"……그렇지. 그 안경을 벗어 보면 어때?"

내 제안에 쿠지바야시는 눈썹을 찡그리더니 의아한 표정을 지었다.

"……귀군, 방금 뭐라고 하셨소?"

"쿠지바야시 넌 심한 근시잖아? 안경을 벗으면 쿠로세가 미소녀인지 어떤지도 알 수 없으니까, 대화도 편해지지 않겠어?"

"……."

쿠지바야시는 당황했지만 달리 뾰족한 수가 없다는 것을 알았는지 내 말대로 안경을 벗어 주머니에 넣었다.

"……발밑이 불명료하니 좌석에 도착할 때까지 귀군의 어깨에 손을 얹어도 되겠소?"

"그, 그 정도야?! 시력이 몇인데? 0.1이라도 돼?"

"마지막으로 쟀을 때 나온 수치는 왼쪽이 0.02……."

"그렇게 도수가 높다고?!"

살면서 한 번도 시력을 교정해 본 적이 없는 내 입장에서는 경악스러울 따름이다. 현재 그의 시야에서는 내가 감히 상상도 하지 못할 풍경이 펼쳐지고 있는 듯했다.

아무튼 나는 맨눈의 쿠지바야시에게 어깨를 빌려주며 반개인실 자리로 돌아갔다.

"쿠지링?!"

돌아온 우리들을 보며 루나가 눈을 휘둥그레 떴다.

"안경은 어쨌어?"

"어쩌다 보니 떨어뜨려서 망가진 것 같아."

"괜찮아? 그런데 이렇게 보니까 완전 잘생기지 않았어?!"

그렇게 말하며 홍분한 기색으로 쿠로세의 어깨를 두드린다.

"그치, 마리아? 마리아도 그렇게 생각하지?"

루나가 의미심장하게 얼굴을 들여다보자 쿠로세는 그 의도를 간파한 듯 쓴웃음이 섞인 미소를 지었다.

"……사람은 얼굴이 다가 아니지만 말이지."

하지만 쿠로세 역시 안경을 벗은 쿠지바야시를 나쁘지 않게 생각하고 있다는 게 표정에서 티가 났다.

안경을 벗은 효과는 쿠지바야시 쪽에도 있었는지 뭔가 질문을 받아 대답할 때마다 자꾸 내려가던 시선도 자연스레 쿠로세 쪽을 향할 수 있게 되었다.

하지만 대화는 여전히 루나가 주도하고 있었고 가끔가다 쿠지바야시를 '정말 잘생겼어!'라고 치켜세우는 통에, 나는 또다시 입맛이 써지고 말았다.

두 번째로 화장실에 갔을 때 쿠지바야시는 나를 따라오지 않았다. 루나를 대하는 건 제법 익숙해졌으니 부자연스러운 두 번째 화장실 동행보다는 셋이 있는 쪽을 선택한 것이리라.

느긋한 마음으로 볼일을 보고 화장실 칸을 나오자, 바로 앞에 루나가 서 있었다.

"아, 류토!"

화장실로 이어지는 좁은 통로에서 나를 기다리고 있었던 것처럼 루나가 다가온다. 몸을 돌려 확인했지만 화장실은 제대로 남녀별로 나뉘어 있었기에, 차례를 기다리고 있었던 건 아닌 듯했다.

"저 두 사람을 잠시 둘만 있게 해 주려고 나도 화장실로 왔어."

루나가 작은 목소리로 말하고는 나를 바라보며 살며시 고개를 갸웃거렸다.

"그런데 무슨 일이라도 생겼어, 류토? 아까부터 마음에 걸렸는데, 왠지 기운이 없는 것 같다?"

"딱히……."

나는 일단 그렇게 대꾸했지만, 술기운이 올라서인지 거기서 입을 다물지 못하고 그만 말을 잇고 말았다.

"……루나가, 쿠지바야시한테 엄청 잘해 주는 것 같아서…… 애칭으로 부르거나 잘생겼다고 칭찬하거나……."

"뭐?"

루나가 눈을 동그랗게 떴다.

"……혹시 질투하는 거야?"

민망해서 대답하지 못하고 있자, 루나가 환하게 얼굴을 빛냈다.

"와, 기뻐! 아직 질투해 주는구나!"

"……."

그야 쿠지바야시는 나랑은 다르게 장래도 거의 확정돼 있고, 근면성실하고 남자다우니까……. 나는 속으로 생각했지만, 친구에게 그런 열등감을 느끼고 말았다는 건 창피해서 입 밖으로 꺼낼 수 없었다.

"그치만 안경을 벗으니까 눈도 움푹 들어가 있고 코도 오뚝하고 얼굴도 단정한 걸 어떡해. 류토도 동의하지?"

"……."

동의해서 입맛이 쓴 것이다. 자신의 얼굴이 객관적으로 봤을 때

POP

미남자가 아니라는 것을 알기에 자신의 여자친구가 대놓고 다른 남자를 칭찬하는 건 설령 친구라 해도…… 아니, 친구라서 더 기분이 좋지 않은 걸지도 모른다. 루나가 내 앞에서 다른 남자의 외모를 이렇게 노골적으로 칭송하는 건 처음이니까. 그건 내가 처음 느끼는 감정이었다.

그런 생각을 하면서도 결코 입 밖으로 내지 못하는 나를 물끄러미 쳐다보며, 루나가 불쑥 입을 열었다.

"그래도 나는 류토가 취향인걸?"

"뭐……?"

"뭘 그렇게 놀라? 연예인들 중에도 잘생겼다고 생각하는 사람은 있지만, 그게 남자로서 좋아한다는 뜻은 아니잖아? 내가 좋아하는 사람이 나한테는 제일 멋진 사람이니까."

"……."

그게 사실이라면 기쁜 일이지만, 여자친구가 일부러 그런 말까지 하게 만들어 버린 스스로의 옹졸함이 수치스러웠다.

"칭찬하는 것도, 제대로 이유가 있어서였어. 마리아가 쿠지링한테 남자로 호감을 느끼면 좋겠다고 생각했거든. 여자는 다른 여자가 칭찬하는 남자한테는 싫어도 관심을 가지게 돼 있으니까."

그러고 보니 예전에 그런 비슷한 얘기를 들은 적이 있었던 게 떠올랐다. 그 말을 했던 게 야마나였던가, 타니키타였던가……. 나와 그나마 교류가 있는 여성이었으니, 아마도 둘 중 한 사람이리라.

"그리고 당연히 잘 대해 줘야지. 류토의 소중한 친구인걸. 친구의 여자친구로서 나하고도 친하게 지내 줬으면 좋겠고."

그 인싸적 사고는 나로서는 조금 이해가 되지 않았지만, 일반론이라고 생각하면 납득할 수 있었다.

"마리아하고도 앞으로 친해져서 어쩌면 사귀게 될 수도 있으니까…… 조금 성급하지만, 내 매부가 될지도 모르잖아?"

"그, 그건 좀, 과하게 성급한데."

"그런가?"

"아직은 전혀 그럴 단계가 아니잖아."

이런 대화가 쿠지바야시의 귀에 들어갔다간, 순수한 그가 압박감에 터져 버릴지도 몰랐다.

그때 화장실로 다가오는 사람이 있어서 우리는 함께 자리로 돌아갔다.

뜻밖에도 쿠지바야시는 쿠로세에게 거침없이 말을 건네고 있었다.

"……해서 그대는 소세키와 오가이가 시기는 겹치지 않았으나 센다기에 위치한 같은 가옥에서 거주했다는 사실은 알고 계시오?"

순간 안경을 벗은 효과인가? 하고 생각했지만, 곧 아니라는 걸 깨달았다. 이건 '2시간 모리 오가이' 때와 같은 현상이다. 루나가 갑자기 자리를 떠나고 쿠로세와 단둘이 남는 바람에 당황해서, 일단 자신이 배운 지식을 입에서 나오는 대로 지껄이고 있는 것이리라.

"오늘 온 이 개인실은 '카마쿠라'를 본따 만든 듯한데 '카마쿠라' 하니 소세키가 가마쿠라 문사(文士)들 중 하나라는 것이 생각나는구려."

"가마쿠라 문사……?"

"가마쿠라 지역과 연고가 있는 문호들을 한데 묶어 그렇게 부른다오. 소세키는 자신과 아내가 요양할 땅으로 가마쿠라를 선택했고 그 뒤에도 몇 번이나 가마쿠라를 방문했소."

"아, 가마쿠라라는 게 지명인 가마쿠라를 말하는 거였구나."

쿠로세는 얘기를 따라가는 게 고작이라는 듯이 맞장구를 쳤다.

"소세키의 전기 3부작 중 하나인 『문』에도 기타가마쿠라가 등장하고, 후기 3부작으로 가장 널리 알려진 『마음』에도 첫 부분의 '선생'과 '나'가 만나는 장면은 가마쿠라 해수욕장이잖소?"

"그렇구나……."

"뭐야 뭐야, 그게 무슨 얘기야? 그보다 무슨 언어야?"

루나가 거기서 대화에 끼어들자, 쿠로세가 안도한 듯한 표정을 지었다.

"루나도 참. 『문』은 그렇다 쳐도 『마음』은 고등학교 현대 국어 교과서에 실려 있었거든?"

"그랬어? 그러고 보니 읽었던 것 같기는 한데…… 그런 얘기였던가?"

"무리도 아니오."

쿠지바야시도 쿠로세보다 루나가 더 대화하기 편한지 루나 쪽으로 고개를 돌리며 말을 꺼내기 시작했다.

"고등학교 교과서에 인용되는 건 가장 마지막 부분인 '선생님과

유서'가 중심이라 첫 부분은 게재되지 않는 경우가 태반이니 말이오."

"헐~, 그런 것까지 알고 있다니, 굉장하다!"

루나의 받아치기가 절묘해서 그런지 쿠지바야시의 해설은 멈출 줄을 몰랐다.

"그래서 소세키는……."

쿠로세가 죽은 눈을 하고 있었기에, 나는 장단을 맞춰 주는 것을 멈추고 상황을 관망했다.

"스, 슬슬 라스트 오더 시간인데, 뭔가 주문할 거라도 있어?"

"그러게, 말차 케이크 맛있겠다."

"정말! 와아, 모나카도 있잖아! 역시 전통 선술집은 다르네~!"

루나와 쿠로세가 신이 나서 메뉴를 보며 디저트 회의를 시작했다.

하지만 그때.

"모나카라면."

놀랍게도 쿠지바야시가 여자들의 대화에 끼어들었다.

"단 음식을 좋아하는 소세키가 즐겨 먹었던 것 중 하나구려."

"헐, 정말?"

사람 좋은 루나가 메뉴에서 시선을 들며 천진하게 맞장구를 치고 말았다.

"특히 긴자에 있는 노포 '쿠우야'의 모나카를 아주 좋아해서, 방금 얘기했던 『나는 고양이로소이다』에도 쿠우야라는 이름이 등장하는 장면이……."

"오오~!"

그만해, 쿠지바야시! 이곳을 여기서 더 토막지식 방송 스튜디오 같은 분위기로 만들지 말라고!

나는 마음속으로 울었다.

친구의 사랑을 응원하고 싶은데 이래서는 다 틀렸다. 내가 여자라도 학을 뗄 수준이었다. 같은 남자에 친한 친구인 나조차 이 상황은 제법 견디기 힘들었다. 처음 만난 쿠로세에게 2시간 동안 계속 모리 오가이 얘기를 했다는 것도 과장 없는 진실이었으리라 확신할 수 있었다.

처음에는 계속 입을 다물고 있었으면서 한 번 자기 분야의 얘기가 나오자 자제할 줄 모르는 것이 과거의 나를 보는 듯해 눈물이 나오려고 했다.

쿠로세의 표정이 굳어 있다는 걸 알아챘으면 좋겠다.

어떻게든 쿠지바야시의 폭주를 막으려고 무슨 말이든 꺼내려고 하던 그때였다.

"……?"

무릎에 뭔가가 닿아서 반사적으로 피하려고 했다. 하지만 그것은 뒤를 쫓듯이 계속 내 무릎에 닿았다.

뭐지? 라고 생각하며 테이블 아래를 슬쩍 들여다보다, 그것이 루나의 발끝이라는 걸 깨달았다.

"……!"

루나가 샌들 한쪽을 바닥에 벗어 둔 채 맨발로 내 무릎을 콕콕 찌르고 있었다.

일부러 한 게 맞다는 듯이 시선을 마주친 루나가 씨익 장난스러운 미소를 지어 보였다.

그리고는 내 무릎을 간질이듯 교묘하게 발끝을 움직였다.

"……잠……!"

간지러워서 웃음이 나오려는데 루나가 '쉿' 하고 입가에 검지를 세웠다. 옆자리의 쿠로세와 쿠지바야시 쪽으로 시선을 보내며 눈짓을 한다.

두 사람이 얘기하고 있으니 조용히 하라는 뜻인 것 같다.

"소세키가 좋아하는 음식 하면 영국 유학 중에 있었던 딸기잼 일화가 유명한데……."

얘기하는 건 쿠지바야시뿐이었지만, 그 시선은 똑바로 쿠로세 쪽을 향하고 있고 쿠로세도 그의 얘기에 경청하는 자세로 고개를 끄덕이고 있다.

나는 그 옆에서 루나의 발끝이 희롱하는 대로 무릎을 내주고 있었다.

"……."

뭐지, 이 벌칙 게임은…… 아니, 벌인 건지 포상인 건지 그것조차 조금 구분하기 어려웠다.

내가 얌전해진 것을 보더니 루나는 발가락 끝을 스르륵 움직여 허벅지 쪽으로 진출해 왔다.

"……?!"

이, 이건 아무리 그래도 너무 과격하지 않나……? 당황한 나는 루나의 발끝에서 의식을 돌리려 쿠지바야시와 쿠로세의 대화에 귀를 기울였다.

"……그래도 앞서 한 말들은 전부 그대에게는 번데기 앞에서 주름잡기나 마찬가지였겠구려. 그대의 전공은 소세키이니 말이오."

쿠지바야시의 말에 쿠로세는 가라앉은 얼굴로 고개를 숙였다.

덩달아 고개를 숙인 내 시야에 루나의 하얀 발가락 끝과 새빨간 네일이 선명하게 대조를 이루며 날아 들었다.

"……그렇지 않아. 나는 오늘 네가 했던 얘기들을 전혀 몰랐거든. 내 배움이 부족했어……."

"그런데 그대의 졸업 논문은 소세키의 무엇을 주제로 할 것이요?"

"……『마음』의 '사모님'과 '나'가 선생님 사후에 재혼하지 않았을까…… 라는 주제로 써 보려고 생각 중인데, 『마음』 초반의 배경이 가마쿠라라는 것도 기억하지 못하고 있었어."

쿠지바야시는 그 말을 듣더니 '흐음'하고 신음했다.

나는 루나의 발끝이 점점 다리 사이로 파고드는 바람에 저도 모르게 흘리고 만 '응'이라는 소리를 헛기침으로 무마했다.

"……그거라면, 이시하라 치아키 씨의 저서는 읽어 보셨소?"

"엉?"

"모르시오? 그렇다면 선행 문헌은 무엇을 바탕으로 할 것이오?"

"어…… 같은 주제로 연구하고 있는 사람이 있었어? 나는 그냥, 내가 『마음』을 읽고 그렇게 느껴져서 그 이유를 쓰려고 한 건데…….”

“그건 ‘감상문’이라오. 선행 연구에 해당하지 않는 것은 ‘논문’이라고 할 수 없소.”

사정을 봐 주지 않는 쿠지바야시의 말에 쿠로세는 당황한 기색을 띠었다.

나는 테이블 밑에서 펼쳐지고 있는 루나와의 유희를 이 두 사람에게 들킬까 봐 조바심에 식은땀을 흘리고 있었다.

“그, 그치만 나는 평범한 대학생이고, 대학원에 갈 생각도 그럴 머리도 없는걸. ……학자의 연구 성과는 도저히 이길 수 없으니까…… 조사에 너무 공을 들이면 전부 누군가가 이미 하고 있는 거라고 나와서 논문 따윈 아예 쓸 수 없게 돼 버리지 않을까?”

“그렇지 않소.”

쿠지바야시는 단호하게 말했다.

루나의 엄지발가락이 선명하게 ‘노(の)’자를 그리듯이 내 다리 사이를 기어다닌다. 나는 등골이 오싹해지는 것을 느끼며 치솟으려는 성감을 필사적으로 참았다.

“논문을 쓰는 의미는 그대가 논문을 쓴다는 행위 안에 있다오. 이 세상에 동일한 인간이 존재하지 않듯이, 설령 같은 주제로 같은 자료를 활용해 쓴다 해도 다른 사람이 집필한 논문은 다른 사고를 거쳐 다른 결론에 다다른다고 말할 수 있소.”

쿠로세는 그 말에 힘없이 고개를 떨궜다.

“……읽어 볼게. 이시하라 치아키 씨…… 라고 했지?”

"소생이 아는 저자들 중에서 현재 떠오르는 이는 그 정도이오만, 그 밖에도 다른 이가 있을지도 모르오. 거듭 말하지만 소생은 소세키 전문가가 아니라서 말이오."

고개를 들자 루나는 여전히 짓궂은 미소를 지으며 내 쪽을 바라보고 있었다.

"……."

왜 그렇게 야한 거죠?!

옆에 쿠로세와 쿠지바야시가 있는데.

대각선 맞은편에서 조용히 고개를 늘어뜨린 쿠로세를 시야 구석에 담으면서, 나는 눈앞에서 요염한 미소를 짓는 루나에게 속수무책으로 농락당하며 흥분하고 있었다.

◇

그렇게 모임이 끝나고 우리들은 개찰구 앞에서 해산했다.

해산이라고 해도 쿠로세와 루나와 나는 가는 방향이 같았기에 이케부쿠로에서 헤어진 건 쿠지바야시뿐이었다.

"……쿠지바야시는 어땠어?"

적당히 북적이는 전철 안에서 나는 머뭇거리며 쿠로세에게 물었다.

"……그러게……."

쿠로세는 조금 침울한 기색이었다. 평소에는 잘만 술을 마시던 그녀가 오늘은 두 잔 정도밖에 마시지 않았던 것도 그것과 상관이 있을지도 몰랐다.

"역시 호오대생이라는 느낌이었어……. 전에도 생각했지만…… 나 같은 건 대화 상대도 못 될 것 같아……."

"아냐, 안 그래."

나는 황급히 입을 열었다.

"평소에는 그런 어려운 얘긴 안 한다고. 저 집 라멘이 맛있다든가, 실수로 '마늘 더더 많이'라고 말해 버렸더니 '더 많이' 때보다 한 번 더 많이 뿌려 줬다 같은 멍청한 얘기밖에 안 해!"

내가 생각해도 이런 얘기를 한다고 해서 쿠로세가 납득해 줄 것 같지는 않지만, 쿠지바야시와의 일상적인 대화 내용은 정말로 그런 느낌이었던 것이다.

그런 그가 쿠로세 앞에서는 왜 그렇게 돼 버리는지 이유를 모르겠다. 아니, 알기 때문에 더더욱, 답답해 미칠 지경이었다.

나도 처음 만난 자리에서 2시간 동안 모리 오가이 얘기를 들었다면 친구 따윈 되지 않았을 것이다.

"……일단 오늘은 둘 다 고마웠어. 또 봐."

우리는 여전히 기운 없는 쿠로세와 A역에서 헤어졌다.

나는 쿠로세가 내릴 역이 집에서 가장 가까운 역이었지만, 루나를 집으로 바래다주기 위해 중간에 하차했다.

아직 취객들로 북적거리는 시간대의 A역 앞을 걸어가며 나는 루나의 손을 잡았다.

"루나, 아까 그거……."

곤란했는데, 라는 뉘앙스를 담아 난처하게 웃는 내게 루나는 아까처럼 장난스러운 미소를 지었다.

"기분 좋았어?"

"……."

부끄러워서 대답하지 못하자 루나가 콩 하고 이마를 어깨에 기대왔다.

"……그치만, 류토가 질투하니까. 나한테는 류토가 제일이라는 걸 두 사람 앞에서 태도로 보여주고 싶었어."

눈동자만 들어 나를 바라보는 시선에, 허벅지에서 요염하게 움직이던 발가락 끝의 감촉이 되살아났다.

"루나……."

고2의 마지막 꽃구경을 갔던 날, A역 앞을 걸어가다 러브호텔을 발견했던 기억이 났다.

분명 잠깐 쉬다 가는데도 1만 엔 가까운 돈을 내야 했다. 지금도 여전히 비싸다고 생각하고 물가 변동에 따라 가격이 더 올랐을 수도 있겠지만, 그래도 지금이라면 지불할 수 없는 금액은 아니다.

하지만 우리들 사이에서는 이제껏 그런 걸로 유혹하는 분위기나 문화가 전혀 없었던 탓에, 막상 하려고 들자 뭐라고 말을 꺼내야 좋을지 알 수 없었다.

하고 싶다.

하지만 말할 수 없다.

왜냐하면 나는 과거에 '루나가 하고 싶어질 때까지 기다리겠다'고 선언해 버렸고, 그 선언을 뒤엎고 원하는 바를 주장할 수 있을 만큼 스스로에게 자신이 없었기 때문이다.

정말 한심하다.

오키나와에서 첫 경험을 할 수 있었다면, 어쩌면 달라졌을지도 모른다고 생각하자 놓친 기회가 진심으로 후회스러워졌다.

"……."

쿠지바야시를 답답해하고 있을 때가 아니다. 나도 아직 이 꼴이었으니까.

그러는 사이 번화가에서 점점 멀어져 인적 없는 주택가로 접어들고 말았다.

아까의 행위로 오른 열은 오늘도 혼자서 해소하는 수밖에 없을 듯했다.

"……언니는 그 뒤로 어때?"

단념한 나는 잡담을 시작했다.

루나는 '엇' 하고 허를 찔린 기색을 보이더니, '아아' 하고 얼버무리듯 미소를 지었다.

"응, 일단 원래대로 돌아갔어. 아직도 전화할 때마다 우는 걸 보면 완전히 회복하지는 못한 것 같지만……."

그렇게 말한 뒤 턱을 당기며 발밑의 아스팔트를 노려본다.

"……정말, 용서가 안 돼. 남자들은 왜 그런 걸까?"

그 음색에 담긴 분노에 나는 가슴을 두근거렸다. 순간 나한테 한 말인 줄 알았기 때문이다.

"불만이 있으면 말하면 될 텐데. 헤어진다고 해도 최소한 마지막으로 한마디 이유라도 밝히고 나가면 좋잖아. 말없이 떠나고 라인까지 차단하다니 한때는 좋아했던 사람에게 배려심이 너무 없어."

"……그렇지……."

후반부의 내용은 내 얘기가 아닌 것이 확실했기에, 어색하게나마 고개를 끄덕일 수 있었다.

"언니는 아직 잊지 못한 모양이지만, 나는 남자친구라는 '라이 씨' 한테 화가 나서 견딜 수가 없어. 매일 분노로 정신이 이상해질 것 같아."

그렇게 말하는 나지막한 목소리에는 정말로 순수한 분노가 담겨 있는 듯했다. 혈육, 심지어 너무나도 좋아하는 언니가 당한 일이기 때문이리라. 지나가는 가로등 불빛을 받아 환히 빛나는 그녀의 옆얼굴을 보며, 이렇게 화를 내는 루나를 보는 건 고등학교 때 이후로 처음이라고 생각했다.

그건 고2 밸런타인데이, 쿠로세가 나에게 초콜릿을 줬다고 오해했을 때의 일이었다……. 역시 루나가 화를 내는 건 가족과 연관된 일일 때뿐인 것 같다.

"……'라이 씨'는 왜 언니 앞에서 사라진 걸까."

루나가 문득 혼잣말하듯 말했다.

"그것만 알게 되면 언니도 앞으로 나아갈 수 있을 텐데 말이야. 언니 대신 한소리를 해 주고 싶어도 본인이 있는 곳을 알 수 없으니 말할 수도 없어."

"그러게……. 일정한 직업을 갖고 있는 게 아니라서 직장에 문의해 볼 수도 없고…… 탐정한테라도 부탁하지 않는 한은 어렵겠지."

나는 일반론으로 무난하게 넘어갈 생각으로 그렇게 말했다.

하지만 옆에서 걷던 루나는 하늘의 계시라도 받은 것처럼 움찔거리며 멈춰 섰다.

"바로 그거야!"

루나가 나를 보며 외쳤다.

"어?!"

그리고는 당황하는 내게 이글거리는 시선을 보내며.

"고마워, 류토! 나, 언니의 남자친구를 꼭 찾아낼게!"

주택가 밤길에서 루나는 흥분한 기색으로 그렇게 선언했다.

제 2.5 장 아카리와 마리메로의 오프라인 토크

도내의 패션몰 안에 있는 카페에서 두 소녀가 마주 보고 앉아 있었다.

"……."

"……."

잠깐의 침묵 뒤 한 소녀가 고개를 들었다.

"……아카리."

그 목소리에 맞은편에 있던 '아카리'라고 불린 소녀가 고개를 든다.

"……응?"

"……그래서, 어쩔 거야? 낳을 거야?"

"……."

아카리는 다시 고개를 숙이더니 입을 다물고 말았다.

테이블 위에는 두 사람의 음료수 외에도 한 장의 사진이 놓여 있었다. 전체적으로 까맣고 노이즈가 낀 것처럼 거친 사진으로, 정중앙에 곡옥처럼 생긴 희끄무레한 것이 찍혀 있었다.

"……낳을 거야."

아카리가 고개를 숙인 채 대답했다.

"그치만, 그것 말고는 방법이 없잖아. 이런 사진을 봐 버리면……."

테이블 위의 사진을 보며 골똘히 생각에 잠긴 표정을 짓는다.

"'여기가 심장이에요.'라면서 보여주는데…… 어쩐지 가슴이 찡해서……. 일단 제대로 한 사람의 인간이라는 생각이 들어 버리니까, 나……."

아카리는 거기까지 말하고는 가슴이 벅차올랐는지 고개를 숙이며 입가를 눌렀다.

"유스케와의 미래도 어떻게 될지 불안하고 아이를 낳는 것도 죽을 만큼 겁나지만…… 이 애를 없었던 걸로 치지는 못하겠어……."

"그렇구나."

또 다른 한 소녀는 미소를 지으며 등과 등받이 사이에 놓여 있던 핸드백에서 핸드타월을 꺼내 건넸다.

"고마워……."

아카리가 웅얼거리듯 말하며 눈가에 그것을 대고 눌렀다.

"각자의 부모님한테는 말씀 드렸어?"

"아직……. 우리 부모님은 그렇다 쳐도 유스케의 부모님은 엄하신 것 같으니까, 아마 엄청 화를 내실 거라고 생각해……. 그래도 다음 휴일에는 가야 한다고 얘기 중이야. 마음이 무겁다는 핑계로 미루기엔 이 애의 성장은 멈춰 주지 않으니까……."

아카리는 핸드타월을 떼고 고개를 숙인 채 아직은 납작한 자신의 배를 쳐다보았다.

"……그래도 굉장한걸. 내 친구의 결혼 제1호가 아카리가 되다니,

최근까지도 상상도 못 했었어."

친구가 미소를 지으며 건넨 말에 아카리도 빨간 눈으로 고개를 들었다.

"나도 그래. 틀림없이 루나일 거라고 생각했거든."

그렇게 말하며 웃고는 기분을 전환하려는 것처럼 불쑥 손뼉을 쳤다.

"그러고 보니 마리메로는? 남자 소식은 없어?"

그 말에 '마리메로'라고 불린 소녀가 쓴웃음을 지었다.

"나는 없네. ……아, 여름 전에 살짝 있긴 했지만."

"엥, 뭔데?! 몰라, 궁금해!"

"그 뒤로는 계속 안 만났으니까. ……굳이 얘기할 정도는 아냐."

"엥~, 말해 줘!"

아카리가 흥미를 보이기 시작했기에, 마리메로는 하는 수 없다는 듯이 입을 열었다.

"나는 좋아했지만…… 사귈 수 없는 사람이었어."

"엥, 무슨 뜻이야?! 설마…… 불륜?!"

"자, 잠깐, 더는 말하지 마!"

가게 안의 다른 테이블을 신경 쓰며 마리메로가 당황했다.

"……아무 일도 없었으니까. 아내와 자식이 있는 사람인 건 맞지만. ……그래서 확실하게 단념했어."

"널 속인 거야?! 솔로인 척 접근했어?!"

"아니. 처음부터 속이지 않았어. ……그러니까, 내가 바보였던 거지.”

마리메로가 힘없이 자조했다.

그러자 아카리는 ‘그렇지 않아.’라고 힘주어 말했다.

“마리메로는 내 친구들 중에서 제일 똑똑한 아이야.”

친구의 말에 마리메로는 조금 기쁜 듯이 미소를 지었다.

“……고마워.”

“진짜로. 마리메로는 나처럼 실수로 임신하는 일은 절대 없을 거라고 생각해.”

마리메로는 그 말을 듣더니 웃으며 고개를 숙였다.

“……하지만 나는 아카리가 부러워.”

그렇게 말하며 뭔가를 그리워하는 것처럼 눈을 가늘게 뜬다.

“나는, 내 마음은…… 분명 ‘실수’를 저지르고 싶었을 거라고 생각하니까.”

마리메로는 아카리가 지켜보는 가운데 툭 내뱉듯이 말했다.

“실수로라도, 잘못으로라도…… 사토 씨…… 아내와 자식이 있는 그 사람과 맺어지고 싶었어.”

깜짝 놀라는 아카리를 시야에 담지 않으려 애쓰며 마리메로는 그렇게 말했다.

“……그게 사랑이라고 생각하니까.”

쓸쓸하게 미소 짓는 친구를, 아카리는 눈썹을 찡그리며 바라보았다.

“마리메로…….”

그리고는 퍼뜩 정신을 차리더니, 일부러 밝은 표정을 지었다.

"저기 있잖아, 다른 사람은 없어? 친한 남자 사람 친구 같은 거라도 괜찮으니까!"

"으음……."

마리메로는 생각하더니 떨떠름한 기색으로 입을 열었다.

"친한 친구…… 는 아니지만, 두 번 식사한 남자라면 있어."

"엥, 누군데?! 어떤 사람이야?!"

바로 물고 늘어지기 시작한 아카리에게 마리메로는 씁쓸하게 웃으며 대답했다.

"카시마의 대학 친구. 소개를 받았어. 루나랑 카시마랑 넷이서 바로 며칠 전에 두 번째로 얼굴을 본 참이야."

"헐~, 굉장하다! 그럼 호오 보이겠네."

"그렇지……."

"어때? 잘생겼어?"

"……응, 얼굴은…… 그렇지."

"헐, 최고잖아! 다음엔 언제 데이트할 거야?"

"……으음……. 그런 건 아닐지도."

"엥, 무슨 뜻이야?"

"나한테 별로 관심이 없다고 할까…… 두 번 다 전공 얘기만 해서…… 어떤 사람인지 잘 모르겠어."

마리메로의 그 말에 아카리는 뜻밖이라는 얼굴을 했다.

"그게 말이 돼?! 마리메로한테 빠지지 않는 남자라니 닭튀김을 싫어하는 일본인만큼이나 희귀한데?!"

"그치만, 여기…… 이 라인 화면을 봐."

마리메로가 자신의 스마트폰을 꺼내 아카리 쪽으로 내밀어 보였다.

화면을 노려보던 아카리가 놀란 표정을 지었다.

"헐, 이거 진짜야?!"

"진짜야."

"우와……."

아카리가 해충을 보는 것처럼 얼굴을 찌푸린다.

"확실히, 이건 관두는 편이 낫겠다."

그리고는 문득 이상한 얼굴을 했다.

"……카시마는 왜 이런 사람이랑 친구인 걸까? 카시마는 엄청 좋은 사람이잖아? 고등학교 때 친구들도 평범하지만 느낌은 좋았단 말이지. 유스케도 사귀고 나서 알게 된 거지만, 개그 센스도 제법 괜찮고 재미있어. 니시나도 얘기를 나누는 게 즐겁다고 니콜이 말했고."

마리메로도 동의하는 얼굴로 고개를 끄덕였다.

"응……. 그래서 어디엔가는 좋은 구석이 있는 사람일 거라고 생각하는데."

그렇게 말한 뒤 화면을 끈 스마트폰을 도로 집어넣으며 난처한 표정으로 고개를 갸웃거렸다.

"나한테는 아직 그게 뭔지 모르겠단 말이지……."

제 3 장

10월이 되어 이제 반팔만 입기에는 싸늘한 계절이 찾아왔다.

대학에서도 본격적으로 가을학기가 시작되어, 나는 수업과 알바를 반복하는 일상으로 되돌아왔다.

그런 어느 날의 일요일 저녁.

나는 루나와 함께 낯선 거리의 역에 하차했다.

—있지, '라이 씨'를 찾았어! 탐정이 알려 줬어! 아츠기의 친척이 운영하는 중화요리점에서 가게 배달 일을 돕고 있대!

루나에게 연락을 받은 건 바로 얼마 전 일이다.

—나, 어떻게든 말해 주고 싶어. 언니한테 헤어진 이유를 밝히고 미안하다는 말 한마디라도 하라고. 그리고 '그동안 고마웠다'는 말도. 언니가 앞을 향해 걸어갈 수 있는 말을 해 줬으면 좋겠어. 언니는 남자친구를 정말 소중히 여겼으니까.

—언니한테는 남자친구가 있는 곳을 찾았단 걸 말했어?

—안 했어. 내가 멋대로 한 일이고, 지금 상황에선 모르는 편이 나았다고 생각할지도 모르니까.

—그렇구나…….

—나, '라이 씨'를 만나고 올게.

—뭐?!

—마리아는 탐정한테 의뢰할 때도 '그렇게 멋대로 일을 저지르면 안 된다'고 말했고, 만나러 가는 것도 '해코지를 하려고 들면 위험하니까 그만두는 편이 낫다'고 반대했지만…… 그래도 나는 도저히 용서할 수가 없어. 언니 대신 한마디 해 주고 싶어.

—결심한 거네?

—응. 그러려고 비싼 돈을 들여서 탐정한테 의뢰한 거니까. 만나러 가지 않으면 의미가 없어.

—……알았어, 그럼 나도 갈게.

—뭐?! 류토, 같이 가 주는 거야?

—루나가 걱정되니까.

—……류토……, 고마워…….

그도 그럴 것이 상대는 3년이나 자신을 먹여살려 준 여자친구를 냉큼 버릴 만큼 간덩이가 부은 남자다. 내가 있어도 해코지를 할지 모르고 그렇게 된다면 확실히 겁은 나겠지만, 루나를 혼자 보내고 걱정하는 것보다는 나았다.

나는 그렇게 생각하며 루나를 따라왔던 것이었다.

언니의 전 남친 '라이 씨', 하나다 라이온, 23세.

아츠기 시 출신인 건 언니에게 들어서 알고 있었고 SNS에 졸업한 초등학교와 중학교까지 다 나와 있었던 덕에 전문가도 사는 곳을 알아내기가 비교적 쉬웠던 듯했다. 그래서 탐정 비용도 견적가보다 싸게 들었다고 한다.

그의 부모님은 어렸을 때 이혼했고, 아버지는 그 뒤 바로 세상을 떠났다. 라이온을 맡게 된 어머니는 그가 고등학교를 졸업하자 재혼해 아이를 낳아서 새 가족과 지내고 있는 듯했다.

라이온이 현재 몸을 의탁하고 있는 곳은 그 어머니의 오빠이자 라이온에게는 외삼촌에 해당하는 사람의 집이었다. 라이온의 외삼촌은 부모님에게 물려받은 오래된 중국집을 운영하고 있으며, 그는 현재 해당 가게의 배달 일을 주로 거들고 있다고 했다.

탐정은 그런 정보를 루나에게 알려줬고, 나는 그를 만나러 가는 전철 안에서 그녀에게 그 얘기를 들었다.

"……왠지 설명만 들어서는 가정환경이 좀 불우한 사람 같은데……."

역에서 중화요리점을 향해 걸어가는 동안 나는 생각했던 것을 말했다.

"……그렇다고 해서 그게 연인을 함부로 버려도 될 이유는 되지 않아."

루나는 앞만 쳐다보며 딱딱한 목소리로 대꾸했다.

좋아하는 언니를 상처 입힌 남자친구가 도저히 용서되지 않는 모양이다.

"언니는 그전에도 남자친구한테 차일 때마다 우울해했지만…… 이렇게 이성을 잃은 건 처음이었어. 뛰어내리려고까지 하다니."

역시 그게 가장 충격이었던 것이리라. 루나는 입술을 깨물었다.

"언니는 '라이 씨'만은 진짜로 믿었던 거라고 생각해. 그런 언니의 신뢰를 배반한 게 나는 무엇보다 용서가 안 돼. 그렇게 사랑과 배려심이 넘쳤던 언니를 말이야."

루나는 고등학교 때도 길에서 세키야 씨를 목격하자 붙잡아서 야마나와 다시 사귀어 달라고 부탁하는 등, 친한 사람을 위해서라면 이상하리만큼 엄청난 행동력을 발휘하곤 했다.

설마 진짜로 탐정에게 의뢰할 줄은 생각도 못 했지만, 루나에게 계책을 일러준 사람은 나이니 여기까지 온 이상 마음을 굳게 먹는 수밖에 없었다.

해가 지고 땅거미가 내리는 시간대가 되었을 때쯤, 우리들은 현지에 도착했다.

그 중화요리점은 역에서 20분 정도 걸어간 주택지에 있는, 상점가로 보이는 길 안에 있었다. 주변을 살펴본 결과 지금은 편의점이나 부동산 정도밖에 영업이 활발한 점포가 없는 듯한 상점가였지만, 그중에서는 가장 오래전부터 있었을 것 같은 가게였다.

빛바랜 붉은색 포렴에 적혀 있는 '라이라이켄'이라는 글자. 거칠고 두꺼운 불투명 유리로 된 미닫이문은 드라마 세트장인가 착각할 만큼 '그림으로 그린 듯한 동네 중국집' 같은 모양새를 하고 있었다.

잠시 밖의 전봇대 그늘에 서서 지켜보자, 큰길 쪽에서 스쿠터 한 대가 달려와 가게 앞에 멈춰 섰다. 세월이 느껴지는 은색 배달 상자를 뒤에 매달고 있는, 옛날 명작 드라마에 나올 법한 스쿠터였다.

거기에서 마른 남성이 내리더니, 헬멧을 쓴 채 가게 안으로 들어갔다.

"……저 사람! 방금 들어간 사람이야! 봤어?!"

"어?!"

그만 멍하니 있던 나는 루나가 팔을 잡아당기는 바람에 화들짝 정신을 차렸다.

"저 사람이 '라이 씨'야! 사진에서 본 거랑 똑같았어!"

"그, 그렇구나……."

헬멧 너머로 용케 알아봤다 싶어 그녀의 관찰력에 감탄한다.

하나다 라이온으로 짐작되는 사람이 운전하는 스쿠터는 그 뒤로도 몇 번인가 떠났다가 돌아오기를 반복했다.

그가 저녁 7시 58분에 가게를 출발했을 때 루나가 말했다.

"이게 마지막 배달일 거라고 생각해. 가게 영업은 저녁 8시까지라고 인터넷에 적혀 있었으니까."

"그렇구나……."

그리하여 저녁 8시가 지나 스쿠터가 돌아왔을 때, 루나는 가게로 다가갔다. 나도 황급히 따라갔다.

"저기요!"

루나는 그다지 우호적이지는 않은 톤으로 말을 꺼냈다.

"네?"

스쿠터에서 내려선 헬멧을 쓴 남성이 의아한 목소리로 말했다.

"저, 시라카와 키티의 여동생이에요."

"……."

헬멧을 쓰고 있어서 표정은 잘 보이지 않았지만, 루나의 자기소개에 소리도 나오지 않을 만큼 놀란 기색이었다.

"언니 일로 잠깐 할 얘기가 있는데요."

그는 한참을 말이 없었다. 그 상태로 잠시 있다가 주위를 둘러보며 입을 열었다.

"……30분 정도 기다려 주실 수 없을까요?"

"좋아요. 저쪽 길을 왼쪽으로 돌면 나오는 큰길에 패밀리 레스토랑이 있는 건 알고 계시죠? 거기에 있을게요."

"……알았어요."

"꼭 와 주세요. 혹시라도 도망치면 또 가게로 찾아올 테니까요."

위협하듯이 말하며 루나는 헬멧 안쪽을 흘깃 째려보았다.

◇

그가 패밀리 레스토랑에 도착한 건 선언한 대로 30분 뒤였다.

저녁 식사를 할 시간대라 배가 고팠기에 나와 루나는 먼저 식사를 했다. 그는 가늠한 것처럼 우리들이 식사를 마칠 무렵에 맞춰 테이블에 모습을 드러냈다.

"……."

그는 말없이 우리 앞에 서서 고개를 까딱이고는 자리에 앉았다. 우리들이 안내받은 곳은 좌석이 소파 형태인 4인석으로 나와 루나는 한쪽에 나란히 앉아 있어서 그가 앉은 것은 맞은편, 나와 루나의 사이 정도의 위치였다.

마른 체격에 키는 나보다 조금 작은 정도일까. 길거리에서 자주 보는 버섯처럼 생긴 머리는, 루나의 언니가 잘라 준 게 마지막이었는지 살짝 자라 눈을 덮고 있었다. 머리 모양 때문인지 나이보다 무척 젊어 보인다.

피부가 하얗고 굴곡이 별로 없는 중성적인 얼굴 덕에 겉으로만 봐서는 연약한 인상이었다. 오버사이즈 스웨트 셔츠에 검은 바지, 스니커라는 차림새도 어디서나 볼 수 있는 젊은이 같다. ……나한테 듣고 싶지는 않을지도 모르지만.

여자친구에게 얹혀살았던 자칭 뮤지션이라는 정보 때문에 멋대로 경박할 거라는 편견을 가지고 있었는데, 어색하게 입을 다물고 있는 모습은 남들보다 섬세하고 내향적인 청년으로 보였다.

"시라카와 키티의 동생인 시라카와 루나예요. 이쪽은 제 남자친구인……."

"카시마 류토입니다."

우리들이 자기소개를 하자 그는 끄덕이듯이 살짝 고개를 움직였다.

"……하나다 라이온입니다."

그렇게 말하는 그를, 루나는 노려보듯이 주시하며,

"괜찮으시면 먼저 마실 걸 가져오세요. 드링크 바를 주문해 둘 테니까요."

라고 말했다.

하지만 그는 고개를 가로저었다.

"아뇨, 괜찮아요."

"그럼 다른 걸 주문할까요?"

"물로 충분해요. ……돈이 없어서요."

그 말에 루나는 후우 하고 한숨을 내쉬었다.

"제가 사 드릴 테니까 음료수 정도는 드셔도 돼요."

"……고맙습니다……."

그렇게 말하며 자리에서 일어난 그가 돌아왔을 때 그 손에는 녹즙을 연상시키는 차분한 녹색 주스가 담긴 컵이 들려 있었다. 이런 음료수도 있었구나.

"……그건 뭔가요?"

신경이 쓰여서 그만 물어보고 말았다.

라이온 씨는 나를 힐끔거리더니 입을 열었다.

"콜라랑 멜론 소다를 반씩 넣은 거예요. 전부터 좋아해서요."

"아, 그렇군요……."

주스를 섞어 마시는 건 나도 예전에 해 본 적이 있긴 하지만, 이 심각한 분위기 속에서, 그것도 남의 돈으로 마시는 드링크 바에서 이런 짓을 해 버리다니. 조금 이상한 사람일지도 모른다는 생각에 불안해졌다.

라이온 씨가 자리에 앉아 음료수를 한 모금 마시기 무섭게, 루나가 바로 본론을 꺼냈다.

"왜 언니를 버리셨어요?"

라이온 씨는 깜짝 놀란 듯이 루나를 보았다.

“버, 버리지 않았어요!”

당황한 기색으로 그렇게 말하더니 루나의 매서운 시선을 느끼고는 슬그머니 눈을 내리깔았다.

“……단지, 거기에 있으면 제가 쓸모없는 인간이 돼 버릴 것 같아서…….”

“쓸모없는 인간이라뇨? 무슨 뜻이죠?”

루나가 빤히 지켜보는 가운데, 라이온 씨는 혼이 난 어린애처럼 힘없이 고개를 떨군 채 얘기했다.

“……저는 올해로 스물넷이 되는 학생인데, 동급생들은 줄줄이 결혼 중이고 개중에는 아이를 가진 사람도 있거든요……. 저 혼자 계속 ‘자칭 싱어송라이터’ 생활을 유지하고 있지만…… 이런 인생이 영원히 계속될 리 없다는 걸, 머리로는 알고 있었어요.”

과연. 본인도 그건 자각하고 있었구나.

“하지만 키티는 제 꿈을 응원해 주고…… ‘라이라면 괜찮을 거야!’라고 늘 격려해 줬어요……. 자기도 하루 종일 서서 일하느라 매일 지쳐서 돌아오면서, 그런데도 저를 신경 쓰고 보살펴 줘서……. 저는 아무것도 안 하고 있는데…… 왠지 미안해서.”

“그래서 언니에게서 도망친 건가요?”

“도망쳤다…….”

라이온 씨는 루나의 말을 곱씹더니 슬픈 표정을 지었다.

“……그렇네요.”

거기서 루나가 무어라 말하려고 입을 연 순간,

"그래도 꼭 다시 데리러 갈 거예요!"

그가 그렇게 말했다.

"데리러? 언제요?"

루나가 사나운 얼굴로 물었다.

라이온 씨는 눈을 내리깔며 입을 열었다.

"세 달이 지나면……. 전 여태껏 한 가지 일을 세 달 이상 계속해 본 적이 없어서요……. 제 몫을 하는 사람으로 성장해서 키티를 지킬 수 있는 남자가 됐다고 말할 수 있을 때 만나러 가고 싶어요."

"……그걸 언니한테 전부 말하고 나서 집을 떠나면 안 됐던 건가요? 라인까지 차단하고…… 언니는 당신에게 차인 줄 알고 있다고요."

라이온 씨는 괴로운 듯이 눈썹을 찡그리며 고개를 숙였다.

"……그렇게 할 수밖에 없었어요. 키티한테 말했다간, 분명 '라이는 그대로 있어도 괜찮다'고 말해 줬을 테고…… 그 말을 들으면 저는 틀림없이 또 키티에게 응석을 부리면서, 이전과 아무것도 달라지지 않은 삶을 살았을 테니까요."

언니의 상태와 발언을 떠올리자, 확실히 그럴 수도 있겠다는 생각이 들었다.

"'일을 시작한다'고 말해서 키티에게 응원을 받았다가, 막상 해 보니 적성에 맞지 않아서 금세 그만두는…… 그런 꼴사나운 모습은 여태껏 질리도록 보여줬으니까…… '삼세번'도 지나가 버렸는데, 또 중

간에 관두면 괜히 실망만 하게 만들 것 같고, 입만 놀리는 걸로는 설득력이 없으니까…… 실제로 꾸준히 하는 모습을 보여주지 못하면, 말할 자격이 없다고 생각했어요."

고개를 숙인 채 더듬더듬 말한 라이온 씨는 거기서 고개를 들더니 나와 루나를 번갈아 보았다.

"저, 지금, 외삼촌네 가게에서 일하고 있어요. ……아까 그 중화요리점인데. 지금은 배달 알바지만, 외삼촌의 딸…… 제 외종사촌이, 둘 다 도쿄에서 일하고 있어서, 가게를 물려받을 생각이 전혀 없다고…… 그래서 제가 성실하게 일하면, 가게를 물려받을 수 있게 주방일도 가르쳐 주겠다고 해서…… 저, 일단은 조리사 전문학교를 나왔거든요. ……그런데도 왜 싱어송라이터가 되려고 했는지 의아하시겠지만…… 학교는 어머니의 권유로 들어간 거고, 음악은 취미로 계속하고 있었던 거라, 역시 포기할 수 없어서…… 죄송해요, 말주변이 없죠. ……이해가 되셨나요?"

"대충은요."

그리고 나쁜 사람 같지는 않다는 것도 대충 파악했다.

이런 상황에서도 드링크 바에서 음료수를 제조해 올 만큼 태평한 구석이 있는 걸 보면, 어린애처럼 순수한 사람일지도 모른다고 생각했다.

루나도 같은 생각을 했는지 얼굴에서 노기가 서서히 빠져나가더니, 자식을 걱정하는 부모 같은 표정을 짓기 시작했다.

"……지금 하는 일은 시작한 지 얼마나 되셨어요?"

"키티의 집을 나오고 나서 바로 시작했으니까…… 한 달 반 정도? 목표의 반을 채웠네요."

"남은 한 달 반 동안, 계속하실 수 있겠어요?"

그 뒤로도 계속 꾸준히 하지 않으면 곤란하지만 말이지. 그렇게 생각하며 물어보자 라이온 씨가 고개를 끄덕였다.

"……저, 혼나는 데 약해서…… 선배한테 혼이 나면 도망치고 싶어지는데요, ……외삼촌과 외숙모는 엄청 다정해요. ……전, 사회의 상식 같은 걸 잘 모르니까, 가끔은 예의에 어긋난 행동을 할 때도 있는데, 외삼촌과 외숙모는 '이렇게 행동하면 이런 식으로 보일 수도 있으니까 이렇게 하자'면서 하나씩 가르쳐 주셔서, 뭐랄까…… 감사해요."

그 얼굴에서 처음으로 미소를 닮은 것이 새어 나오는 것을 확인하자, 외삼촌 부부와는 잘 지내고 있다는 것을 알 수 있었다.

하지만 루나는 추궁의 손길을 늦추지 않았다.

"세 달이 지나가기 전에 언니한테 새 남친이 생기면 어떻게 할 거예요?"

그 질문에 라이온 씨의 표정이 다시 어두워졌다.

"……한 번 헤어질 각오를 하고 집을 떠난 거니까…… 그렇게 된다고 해도 어쩔 수 없다고 생각해요. 그럴 만한 행동을 했으니까요."

그 부분도 제대로 자각하고 있었구나. 역시 상상했던 것만큼 구제할 길 없는 망나니는 아니었던 모양이다.

"그래도, 그 상태로는 안 된다고 생각했으니까. 스스로를 변화시

키려면 이렇게 하는 수밖에 없었어요. 그 집에 있으면, 일단 키티부터가 너무 매력적이라서, 장래에 대한 고민 같은 것도 전부 손에서 놓아 버리게 되거든요."

루나의 언니의 육감적이던 실내복 차림을 떠올리자 같은 남자로서 그 심정은 몹시 이해가 갔다. ……루나에게는 말할 수 없지만.

"……싱어송라이터는 이제 그만두시기로 한 거예요?"

그쯤에서 나도 질문을 던졌다.

그럭저럭 성업 중인 듯한 중화요리점이니, 제대로 마음먹고 후계자 수업을 받게 된다면 음악 활동에 정력을 쏟을 여유는 없어질 것 같다고 생각했기 때문이다.

라이온 씨는 다시 살짝 고개를 숙이며 대답했다.

"본격적으로 일을 하게 되면 그만둘 생각이에요. ……그래도 그 전에 한 곡…… 마지막으로 지금의 제 모든 걸 담은 곡을 만들어서…… 그 곡과 함께 키티를 데리러 가고 싶어요."

"……그 곡은 이미 완성된 건가요?"

"멜로디는요. ……하지만 가사가 전혀 정리가 안 돼서."

라이온 씨는 그렇게 말하고는 자조했다.

"이미 눈치채셨겠지만, 전 다른 사람에게 제 마음이나 생각 같은 걸, 제대로 전하는 데 서툴러서…… 노래로라면 멜로디에 실어 하고 싶은 말을 전달할 수 있을 거라는 생각에, 싱어송라이터가 되고 싶었거든요……. 하지만 키티한테는 전하고 싶은 마음이 너무 많아서, 가사에 전부 담기가 어렵네요……."

"서투르지 않아요."

그때 루나가 위로하듯이 첨언했다.

"저도 아까부터 하나다 씨가 하고 싶은 말을 대부분 이해했고요."

"……그건, 먼저 이것저것 물어봐 주셨기 때문이라고 생각해요. 적극적으로 제 생각을 말하는 건…… 정말 어려워요."

그 말을 듣고 나는 퍼뜩 깨달았다.

적극적으로 자신의 생각을 말하는 것이 얼마나 어려운 일인지는 나도 최근 루나와 얘기하며 실감했으니까.

"……그래도 저는 하나다 씨가 세 달 동안 계속 일하시는 데 성공하면, 얼른 언니를 만나러 가 주셨으면 좋겠어요."

루나가 간절한 얼굴로 말했다.

"……언니가, 엄청 상처 받았거든요. 하나다 씨가 아무 말도 없이 집을 떠나서……."

라이온 씨도 그 말에 비통한 얼굴을 했다.

"그건…… 미안하게 생각해요. 하지만 지금 저는, 제 일만으로도 하루하루가 벅차서."

그 말을 끝으로 한 차례 입을 다문 뒤, 그는 다시 입을 열었다.

"저는, 키티와의 미래를, 제대로 고민하고 있어요."

진지한 시선으로 테이블 위를 바라보며 그렇게 말했다.

"제가 저 가게를 물려받았을 때, 지금의 외숙모처럼 키티도 가게 일을 도와준다면 기쁘겠지만…… 만약 키티가 미용사 일을 계속하고 싶다면, 동네에 빈 점포가 많으니까, 가까운 곳에 미용실을 차려도 좋고요. ……그걸 위한 자금도, 제가 가게를 잘 운영해서 벌어야겠지만요."

"……."

설마 그가 이렇게까지 먼 미래를 바라보고 있을 줄은 상상도 하지 못했기에, 놀라서 반응도 하지 못했다.

루나도 같은 생각을 하고 있다는 것은 옆자리에 앉은 그녀의 표정만 봐도 알 수 있었다.

"그런 생각을 하면서도, 전부 말하지 못하고 집을 나간 건…… 지금의 스스로에게 자신감이 없어서였어요."

그 말을 듣자 가슴이 두근거렸다.

나도 요즘 비슷한 생각을 하고 있었기 때문이다.

"그래서, 세 달 동안 계속 일을 해서…… 달라진 내가 되면, 제 마음을 모두 담은 노래를 만들어서, 키티한테 전하러 가고 싶어요."

나와 루나가 가만히 귀를 기울이는 가운데, 라이온 씨는 우직하게 느껴지는 어조로 말했다.

"키티한테는 누구보다 행복해질 자격이 있어요. 정말로 좋은 여자거든요. 그래서 '나는 전 남친들과는 달라. 키티를 행복하게 해 주자.'고 생각했죠. ……하지만 제삼자의 눈으로 보면 나는 그저 기둥서방일 뿐이고, 직업을 갖고 있던 전 남친들보다 못한 존재라고 생각할 때마다, 비참해져서……."

전 남친들과는 다르다.

라이온 씨가 그렇게 말한 순간, 퍼뜩 깨달았다.

그건 내가 루나와 막 사귀기 시작했을 때 제일 처음으로 느꼈던 감정이었으니까.

"하지만 저는 아무것도 이룬 게 없으니까, 아무 말도 할 수가 없어서…… 말없이 집을 떠날 수밖에 없었어요."

"……하나다 씨의 마음은 알겠어요."

루나가 그렇게 말했다.

"작사라는 게 그렇게 힘든 건가요?"

"그렇죠. ……말씀드렸듯이, 원래도 작곡보다는 작사에 약해서요. 게다가 지금은 오전부터 밤까지 일하느라, 하루가 끝나면 몸도 피곤해서, 푹 쉬다 잠드는 루틴으로 생활하고 있으니까…… 같이 상의해 줄 사람이라도 있으면, 해야 한다는 마음이 생길지도 모르겠지만요."

"그렇군요……."

루나가 아쉬운 듯이 눈썹을 축 늘어뜨렸다. 얼른 언니를 데리러 가 줬으면 해서 가슴이 답답한 것이리라.

나는 나대로 답답함을 느끼고 있었다.

—나는 전 남친들과는 달라.

그렇게 생각하면서도 그는 그것을 행동으로 실천하지 못해 루나의 언니를 상처 입히고 떠날 수밖에 없었다.

나도…….

—나는 예전 남자친구들과는 다르다.

4년 전 루나의 방에서 했던 그 생각을 태도로 보여주려고, 나는 그녀에게 손을 대지 않았다. 성적인 부분에 관해서는 철저하게 루나의 뜻을 존중하기로 마음먹었다.

하지만 그 때문에 나는 지금…… 괴로워하고 있다.

하고 싶다. 하지만 어떻게 해야 좋을지 모르겠다. 내 마음을 전하는 게 두렵다. 혹시라도 그녀의 마음을 짓밟는 건 아닐지, 뭔가 문제가 생겼을 때 책임을 질 수 있는 신분도 아닌 내가 그런 말을 해도 되는 건지…… 그런 생각들로 머릿속이 복잡해져서, 결국 아무것도 하지 못한 채 끙끙거리고 있었다.

라이온 씨를 도와줌으로써, 나 자신도 구원받고 싶다.

어쩌면 그런 마음도 있었을지 모른다.

"해 보죠, 작사. 저라도 괜찮으시면 도와드릴게요."

정신이 들자 나는 그렇게 말하고 있었다.

"어?"

"류토?"

라이온 씨와 루나가 놀란 듯이 나를 보았다.

"제가 이래 봬도…… 출판사 편집부에서 일하고 있거든요. 알바라서 잡일만 하고 있지만…… 견습 편집자로서, 뭔가 조언할 수 있는 부분이 있을지도 몰라요."

편집 업무에는 거의 관여하지 않았기에 이건 공수표에 가까웠지만, 라이온 씨의 마음을 편하게 만들어 주고 싶어서 그런 말을 해 버렸다.

자신의 안에서 이런 열의가 샘솟고 있다는 것에 놀라움을 느꼈다.

하지만 남의 일이라는 생각은 들지 않았다.

—적극적으로 제 생각을 말하는 건…… 정말 어려워요.

—그런 생각을 하면서도, 전부 말하지 못하고 집을 나간 건…… 지금의 스스로에게 자신감이 없어서였어요.

—나는 전 남친들과는 달라.

그 감정은 내 안에도 분명히 존재하는 것이니까.

그래서 라이온 씨가 그것을 극복하고 루나의 언니를 데리러 갈 수 있는 남자가 되기를 바랐다. 같은 처지에 놓인 남자로서의 소원이다.

"정말이세요……? 고맙습니다, 덕분에 살았어요!"

라이온 씨는 구세주를 보는 것 같은 시선으로 나를 보며 감사 인사를 했다.

그런 그를 향해 나는 오로지 열의만으로 고개를 끄덕였다.

승산도 심산도 아무것도 없다. 하지만.

—카시마는 편집자가 잘 맞을 거라고 생각해.

어쩌면 후지나미 씨가 걸핏하면 마법을 걸듯이 하는 그 말이, 나에게 근거 없는 자신감을 갖게 해줬을지도 모르겠다.

"라이온 씨가 최고의 노래를 만들어서, 한 달 반 뒤에 당당하게 키티 씨를 만나러 갔으면 좋겠다고…… 그렇게 생각해요."

나의 그 말을 라이온 씨는 진지한 눈빛으로 경청하더니.

"……고마워요! 잘 부탁드릴게요!"

그렇게 말하며 깊이 고개를 숙였다.

◇

패밀리 레스토랑을 나와 헤어지기 전까지 함께 길을 걷는데, 라이온 씨가 불현듯 말했다.

"그런데 제가 여기에 있다는 건, 어떻게 아셨어요? 키티한테는 외삼촌네 가게 이름을, 제대로 말한 적이 없었던 것 같은데."

그 말에 나와 루나는 얼굴을 마주 보았다.

"……치, 친구가 이 동네에 살고 있어서 놀러 왔을 때 우연히 하나다 씨를 발견해서요!"

"맞다, 그렇게 말했었지, 루나. 언니가 남자친구 사진을 보여준 적이 있어서 알아봤다고 했던가?"

"마, 맞아, 그거!"

우리들은 다급히 억지로 짜낸 조잡한 연극을 하기 시작했다.

"오~, 굉장하다. 그런 우연도 다 있네요."

라이온 씨는 속쌍꺼풀이 진 눈을 휘둥그레 뜨며 감탄한 기색으로 말했다.

한 치의 의심도 품지 않는 그 모습에 정말로 순수하고 솔직한 사람이라고 생각했다. 그를 만나기 전에는 루나의 언니가 어째서 그런 형편없는 남자를 먹여 살리고 있었는지 의문스러웠는데, 직접 만나 보니 제대로 좋은 점도 있어서라는 게 납득이 갔다.

루나의 언니도 살짝 어린애처럼 순진한 인상을 가졌으니, 두 사람은 잘 어울리는 한 쌍일지도 몰랐다.

"그럼, 덕분에 잘 먹었어요. 집으로 돌아가면, 바로, 열심히 가사를 써 볼게요."

그렇게 말하며 그는 큰길을 돌아 상점가 쪽으로 떠나갔다.

둘만 남은 우리들은 한동안 말없이 역으로 걸어갔다.

"……."

—라이온 씨, 생각했던 것보다 멀쩡한 사람이라서 다행이네.

—언니가 버림받은 게 아니라서 다행이네.

어떤 말로 시작하는 게 좋을지 속으로 고민하다, 역시 루나가 먼저 말하기를 기다려야겠다고 생각했다.

가게를 나오기 전에 확인했을 때 시각은 이미 저녁 9시 반을 지나 있었다.

막차는 아직 있다. 루나를 집까지 바래다주기는 힘들지도 모르지만, 그때는 택시를 불러서 타면 된다.

저녁도 먹었으니 이제 이 동네에 더 볼일은 없다.

우리들은 전철을 타고 다시 도쿄를 가로질러 집으로 돌아갈 수밖에 없었다.

지금 바로 전철을 타도 집으로 돌아갈 때쯤에는 이미 날짜가 바뀔 시간대가 되어 있으리라.

루나는 내일도 아침부터 매장에 출근한다.

즉, 이제는 돌아가야 했다.

몇 번을 고민해 봐도 도출되는 결론은 그것뿐이다.

"……."

옆에서 말없이 걷고 있는 루나는 지금 무슨 생각을 하고 있을까.

그런 생각을 하는데, 루나가 내 쪽으로 고개를 돌렸고 시선이 마주쳤다.

"……고마워, 류토."

루나가 살며시 미소를 지으며 그렇게 말했다.

"류토가 있어 줘서 다행이야."

거기서 그녀의 표정이 불현듯 희미하게 흐려졌다.

"……그게 요 4년 동안, 내가 줄곧 해 온 생각이었어."

루나는 앞을 보며 확인하듯이 고개를 끄덕였다.

"……응. 옆에 있어 주는 것만으로도 고마운 일이지. 그 사실에 감사해야 한다고 생각해. ……아니, 생각했어."

"루나……?"

나는 그녀의 호소에 담긴 진의가 무엇인지 알 수 없었다. 루나는 그런 나를 보며 안심시키듯이 미소를 지었다.

"나는 류토가 어떤 사람인지 이제 잘 아니까…… 이제 와서 예상치 못한 일이 일어나지 않으리라는 것도 잘 알고 있어."

그 말의 후반부터 표정이 굳어지긴 했지만, 루나는 그래도 미소를 잃지 않고 말했다.

"그래도 나는 류토를 좋아하니까, 계속 옆에 있고 싶어."

순수하게 기뻐하는데, 루나가 말을 이었다.

"처음에는 '바라는 게 있으면 서로 확실히 자신의 마음을 말로 전달하면 된다'고 생각했지만…… 만약 내가 바라는 게 '연인에게 깜짝 이벤트를 받는' 건데 남자친구한테 '깜짝 이벤트를 해 달라'고 부탁한다면, 그렇게 받은 깜짝 이벤트는 나한테는 이미 전혀 깜짝 이벤트라고 할 수 없잖아?"

"그렇겠지……?"

"드라마에서는 '연인이 이런 식으로 말해 주면 좋을 텐데'라고 생각한 대사를 남자에게 얼마든지 뱉게 할 수 있지만…… 현실의 인간은 그렇게 자기 뜻대로 되지 않으니까."

"……루나. 내가 무슨 실수라도 했어……?"

아니면 뭔가 안 한 일이 있다든가?

불안해져서 저도 모르게 묻고 말았다.

그러자 루나가 퍼뜩 정신이 돌아온 얼굴로 고개를 가로저었다.

"아아, 아냐, 미안. 방금 한 말은 전부 혼잣말이라고 할까…… 내가 스스로를 납득시키기 위해 한 말이었어. 나는 말없이 속으로만 생각하는 걸 잘 못하니까, 머리를 정리하고 싶어서."

그렇게 말하며 걱정스러운 듯이 미소 짓는다.

"류토한테 전하고 싶은 건 '고맙다'는 부분뿐이었어."

역은 이미 코앞으로 다가와 있었다.

◇

라이온 씨를 만나러 간 날로부터 며칠이 지났지만, 루나가 했던 일련의 말들이 무슨 의미였는지는 여전히 알 수 없었다.

딱히 싸우거나 사이가 어색해진 것도 아니라 돌아오는 전철에서는 목적지에 도착할 때까지 긴 시간 동안 평소처럼 대화를 나누고 집으로 돌아갔다.

하지만 아주 살짝 거슬리는 기분을 느끼며 매일을 보내고 있다.

이럴 때 세키야 씨에게 상담할 수 있다면 얼마나 좋을까. 세키야 씨가 다음으로 돌아오는 건 봄방학 때다. 하지만 굳이 전화나 메시지로 의논할 만한 내용도 아니었다.

생각해 보면 나는 달리 루나에 대해 얘기할 상대가 없었다.

오히려 여자 문제에 관해서는 내가 상담을 받는 쪽이 될 때가 많았다. 잇치가 오키나와까지 전화를 건 것처럼.

유유상종이라고 내 주위에 있는 녀석들은 하나같이 연애에 늦된 소심남들뿐이었고, 그중에서는 내가 제일 여친을 사귄 경력이 길다 보니 다들 무슨 일만 생기면 나에게 의지하곤 했다.

그리고 그런 소심남들 중에서도 제일 으뜸가는, 마지막 보스급 존재가 바로 쿠지바야시다.

"쿠로세랑은 그 뒤로 어때?"

어느 날의 점심시간, 언제나처럼 카츠카레가 맛있는 학생 식당에서, 나는 맞은편에 앉아 밥을 먹고 있던 쿠지바야시에게 물었다.

쿠지바야시 본인은 딱히 여자관계로 상담을 해 주길 바라고 있지 않을 테니 이건 순전히 내 오지랖이다.

그래도 쿠로세의 경우는 내가 소개한 사람이기도 하고, 쿠로세나 쿠지바야시나 이성을 대하는 데 익숙하지 않으니까 경과를 지켜보는 편이 나을 것 같다고 생각했다.

나는 두 사람에 대해 잘 알고 있으니, 기껏 한 차례 인연이 닿았는데 서로의 좋은 점을 알지 못한 채 멀어지는 건 싫다는 마음도 있었다.

그리고 방치했다간 틀림없이 이대로 멀어지게 될 거라는 확신이 들었다.

"……어떠, 냐니?"

카츠카레를 먹던 손을 멈추며 쿠지바야시가 나에게 말했다. 안경 안쪽의 눈동자에서 경계심이 반짝이고 있다.

"그 뒤로 쿠로세랑 대화는 좀 주고받았어?"

"……귀가 후에 그쪽에서 감사 인사를 보내기에, 답신을 하였소."

"그렇구나."

그럼 문제없겠다고 생각하다가, 그날 쿠지바야시의 상태가 떠올라 문득 불안감에 사로잡혔다.

"……저기, 혹시 지장이 되지 않는다면 그 라인 화면을 봐도 될까……?"

"상관은 없소만."

쿠지바야시는 주머니에서 스마트폰을 꺼내 라인의 채팅 화면을 열어 나에게 건넸다.

최근 나눈 대화가 표시되어 있다.

날짜는 회식 다음 날이었다.

마리아 어제는 시간 내줘서 고마워.
여러모로 공부가 됐어.
나도 쿠지바야시를 본받아서 열심히 공부해야겠어.

'해야겠다'는 생각이 드는 공부라면 굳이 할 필요는 없을 듯하오. 쿠지바야시 하루쿠

대학은 의무교육기관이 아니니 말이오. 쿠지바야시 하루쿠

마리아 지당하신 말씀이네요….

"……?!"

나는 내 눈을 의심했다.

채팅창은 거기서 멈춰 있었다.

"잠, 쿠, 쿠지바야시, 이게 뭐야?!"

"음?"

"왜 이런 답장을 보냈어?!"

아니, 좋아하는 여자애한테 어떻게 이런 답장을 할 수 있는 거야?!

"쿠로세가 싫어?!"

그러자 내가 하는 말의 의미가 이해되지 않는다는 듯이 쿠지바야

시가 눈썹을 찌푸렸다.

“싫어하는 사람이면 애초에 답신을 보내지도 않았을 것이오.”

“아니, 무리! 그거 전달되지 않았을걸!”

실제로 쿠로세가 보낸 ‘지당하신 말씀이네요…….’라는 답장에도 자책과 짜증이 감돌고 있지 않은가.

국문학 전공으로 독해력이 뛰어날 게 분명한 쿠지바야시가 왜 그 사실을 깨닫지 못하는 걸까.

“……이거, 이대로 방치할 생각은 아니지?”

마지막 대화를 주고받은 날로부터 이미 한 달에 가까운 시간이 지나고 말았지만.

초조해하는 나를 쿠지바야시는 의아한 얼굴로 쳐다보았다.

“방치가 아니라 이 대화는 여기서 저쪽이 완결시킨 것이오만?”

“아니지, 끝낼 수밖에 없잖아, 이런 메시지를 보내면.”

쿠로세는 이 이상 정론으로 얻어맞고 상처 입고 싶지 않아서 대화와 마음을 닫은 것이다.

“왜 끝낼 수밖에 없었다는 것이오? ‘공부해야겠다’고 생각하는 건 그녀 자신이 아직 ‘공부하고 싶다’고 생각되는 명제를 만나지 못했기 때문 아니겠소. 그것을 찾는 데 도움이 필요하다면 소생은 얼마든지 팔을 걷어붙일 용의가 있소만, 여기서 대화를 끝낸 건 어디까지나 그녀의 나태함 때문이오.”

“…….”

쿠지바야시의 주장은 대충 알 것 같고, 그건 학문적인 관점에서는 옳은 말이었지만, 일반적인 인간관계는 그렇게 굴러가지 않는다…….

애초에 그런 의사를 전달하려 했다고 해도 방식이 너무 서툴렀다.

"……쿠지바야시는 쿠로세랑 어떤 관계가 되고 싶은 거야? 사제 관계? 아니면 연인관계?"

"……."

내 질문에 쿠지바야시는 갑자기 입을 다물더니 그대로 침묵하고 말았다.

"……만약 쿠지바야시에게 쿠로세와 좀 더 사이좋은 친구가 되고 싶다든가, 그 이상으로 친밀해지고 싶다는 마음이 조금이라도 있다면…… 해명을 하는 게 나을 거야. 이대로 놔뒀다간 더는 쿠로세한테서 연락이 오지 않을 테니까."

쿠지바야시는 내 말을 듣더니 힘없이 고개를 숙이며 제 스마트폰의 채팅 화면을 보았다.

"……확실히 이렇게 보니 배려심이 결여된 말투였음을 부정할 수 없구려. 소생에게는 학문밖에 볼 것이 없기에, 그녀에게 도움이 될 수 있다는 생각에 그만 너무 열을 올렸던 것 같소."

"……."

쿠지바야시의 마음은 이해한다.

그는 좋은 사람이다. 그 사실은 친구인 내가 잘 알고 있다.

하지만 너무나도 서툴렀다.

"……이제 와서 뭐라고 보내면 좋겠소?"

쿠지바야시가 재차 건넨 질문에, 나는 '어?' 하고 말문이 막혔다.

"으음, 그러게……. 이미 한참 시간이 지났으니까, 전의 채팅 내용은 굳이 언급할 필요 없지 않으려나? 새로 대화를 시작한다고 생각하고, '요즘은 어떻게 지내?'라든가……."

"소생은 그런 말은 할 수 없소."

"그렇겠지……."

아무리 애드리브라도 스스로의 예문 센스 없음에는 쓴웃음이 터지고 말았다.

"뭐, 내용은 알아서 생각해. 뭐든 별로 상관없으니까. 대화가 좀 이어질 만한 느낌으로."

쿠지바야시가 그런 내 말을 듣더니 인생의 난제에 부딪힌 듯한 얼굴을 했다.

"그리고 바로 대답하기 힘든 답장이 오면 일단 이모티콘으로 받아치든가 하고."

그것은 루나에게 배운 테크닉이었다.

나와 루나는 대학에 들어가고 나서는 인스타 DM이 메인 연락 수단이 되어 버렸기에, 라인 문화와는 멀어진 지 오래였다.

고등학교 시절 루나는 아재 토끼 이모티콘을 자주 사용했다. 나도 같은 것을 구매해 가끔 썼더니 기뻐해 줬던 기억이 떠올라 그리운 기분이 들었다.

"쿠로세는 '치이캬와' 이모티콘을 자주 사용하잖아."

쿠로세와는 고등학교 때 서로 차단했던 연락 수단이 라인이었기에, 다시 교류하게 되고 나서도 라인으로 연락을 주고받고 있었다. 지금은 알바와 관련된 업무 연락을 주로 하고 있지만, 그녀는 때때로 치이캬와 이모티콘을 보내곤 했다.

치이캬와는 몇 년 전부터 인기를 끌고 있는 SNS 만화 캐릭터다. 작은 동물들을 모티브로 한 사랑스럽고 비호 욕구를 불러일으키는 캐릭터들이 씩씩하게 활약하는 만화로, 최근에는 만화를 좋아하는 오타쿠뿐만 아니라 일반인들 사이에서도 인기 캐릭터로 침투한 상태였다.

"쿠지바야시 넌 무슨 이모티콘을 갖고 있어?"

"……갈색 곰과 하얀 토끼, 하얗고 동그란 얼굴의 인간과 길게 풀어헤친 노란 머리 인간의 이모티콘이라면……."

"그건 라인에 기본으로 들어 있는 무료 이모티콘이잖아."

뭐라고 하는 캐릭터인지는 나도 모르지만.

"그럼 이참에 사지 그래? 같은 이모티콘을 쓰면 쿠로세도 기뻐해줄지도 모르잖아."

쿠지바야시는 그 말을 듣더니 노골적으로 불쾌한 얼굴을 했다.

"……귀군, 설마 소생에게 '치이캬와'를 구매하라고 하는 것이오?"

"아니, 뭐 어때서, 그 정도는……."

나도 맨 처음 아재 토끼 이모티콘을 샀을 때는 뭔가에 패배한 듯한 심리적 저항감을 느꼈으니 심정은 알겠지만.

"쿠로세가 스스로 사용하고 있다는 건 좋아하는 캐릭터라는 뜻일 텐데, 어차피 살 거면 다른 이모티콘을 고르는 것보다 그편이 더 호감을 살 수 있지 않겠어?"

"……."

쿠지바야시는 말없이 스마트폰을 조작했다.

나는 그의 건너편에 펼쳐져 있는 창문의 광경으로 시선을 보냈다.

이 식당은 1층에 있는 생협 식당과 연결돼 있어서 천장이 트여 있는 1층의 모습을 창문을 통해 볼 수 있었다.

시선이 닿은 곳에서 경영학부인지 경제학부인지 알 수 없지만, 딱 봐도 현실에 충실해 보이는 남녀 그룹이 테이블에 앉아 화기애애하게 얘기를 나누고 있다.

그들 같은 인종의 눈에 우리들은 정말 유치하기 짝이 없는 대화를 하고 있는 것처럼 보일 것 같아 멋대로 자학에 빠져 있으려니.

"150엔……."

분명 라인의 코인 구매 화면을 보고 있는 것일 쿠지바야시가 중얼거렸다.

"150엔이면 도서관의 책을 15페이지나 복사할 수 있건만……."

"그러면 책을 빌려 돌아가서 집 프린터로 복사하는 건 어때? 절약할 수 있잖아?"

"도서관에는 대출이 불가능한 귀한 장서도 있다오."

"그, 그렇구나……."

그런 사실조차 모르는 불성실한 학생인 내가 '그럼 스마트폰으로 촬영하는 건?'이라고 말해 봤자 또 뭔가 반박을 당할 게 분명했기에, 그 이상은 말하지 않았다.

쿠지바야시는 중고교 통합 명문 사립학교를 다녔을 정도라 집은 나보다 잘 사는 것 같은데, 알바도 하지 않고 본가에서 지내며 대학을 다니고 대학원까지 진학하기로 인생 설계를 한 탓인지 꽤 돈에 인색한 구석이 있었다.

"뭐, 억지로 강요하지는 않겠지만…… 말로 받아칠 자신이 없으면 그런 방법도 있다는 뜻으로 알아줘."

그렇게 말하며 다 먹은 쟁반을 치우기 위해 자리에서 일어나려고 했을 때였다.

"카시마 공."

나를 불러 세운 쿠지바야시가 스마트폰 화면을 응시한 채 작은 목소리로 말했다.

"……방금 소생이 구매한 '치이캬와'는 어떤 식으로 대화에 사용하면 되는 것이오……?"

◇

쿠지바야시에게 나와 루나의 예전 채팅 화면을 켜서 이모티콘의 실제 사용례를 보여준 뒤 수업과 알바를 마치고 귀가하자 라이온 씨에게서 연락이 와 있었다.

인트로 부분의 가사가 완성됐는데 살짝 듣고 소감을 들려 주실 수 있을까요?

그 뒤에는 라이온 씨가 노래하는 영상이 전송돼 있었다.

외삼촌의 집인 건지 다다미방 위에 의자를 놓고 앉은 라이온 씨가 기타를 연주하며 노래를 부르기 시작했다.

"꿈속에서~ 몇 번이나~ 네 이름을 불러~."

기타 줄을 튕기는 손끝을 들여다보듯 눈을 내리깔고 정감이 실린 목소리로 노래한다.

"이제 두 번 다시는~ 놓아주지 않을 거야~ 놓치고 싶지 않아~ 영원히~."

이런 노래를 들을 때마다 드는 생각인데, 이런 식의 러브송을 직접 만들어 부르는 남자는 어디까지 진심을 담아 노래하고 있는 걸까?

나도 만약 설문지 조사 같은 데서 '여자친구를 영원히 놓아주고 싶지 않다'는 항목에 '네', '아니오', '둘 다 아님'의 세 가지 선택지가 회답으로 준비돼 있다면 '네'에 동그라미를 치겠지만, 스스로 그 사실을 남에게 밝힐 생각은 없고 하물며 이런 식으로 낭랑하게 노래를 부르는 건 부끄러워서 감히 상상조차 할 수 없었다.

노래를 들으면서도 나도 모르게 그런 생각을 할 만큼 라이온 씨의 노래는…… 뭐, 까놓고 말해서 진부했다.

그래도 대화를 하고 있을 때는 딱히 느끼지 못했는데, 이렇게 들어 보니 좋은 목소리라는 생각은 들었다. 가창력이 월등히 뛰어난 건 아니지만 평범하게 괜찮아서 여러 번 재생 버튼을 눌러서 들어도 고통스럽지 않다는 건 다행이었다.

아무튼 제일 괜찮다고 생각한 건 목소리로, 멜로디와 가사는 어디서 들어 본 적이 있는 것 같은, 흔한 느낌의 러브송이었다. 내가 음악을 잘 아는 게 아니라서 그 이상의 전문적인 감상은 해 줄 수 없지만.

인트로뿐이라 그것도 금세 끝나 버렸다.

"……."

문장으로는 대답하기 힘들어서 영상 통화를 하기로 했다.

"수고가 많으십니다……."

"아, 류토 씨, 안녕하세요!"

칭찬을 받을 거라고 생각했는지 화면 너머로 보이는 라이온 씨의 눈동자는 반짝거리며 빛나고 있었다. 나보다 연상이면서도 후배처럼 저자세로 인사해 준다.

그래서 솔직한 소감을 말하기가 조금 망설여졌다.

"일단 먼저 드리고 싶은 말씀은요…… 제가 한 번도 작곡이나 작사를 해 본 적이 없고 음악도 잘 몰라서 그런지 라이온 씨 같은 분을 보면 정말로 대단하다고 생각해요……."

"아뇨, 그렇지 않아요."

"……그래서 이건 정말로 평범한 문외한의 감상인데요……."

말하기 힘들다……. 나는 그렇게 생각하며 머릿속으로 말을 고르고 입으로 꺼내길 이어갔다.

“왠지, 좀…… 흔한 것 같다고 할까? 나쁘지는 않지만 무난한 인상이라고 느꼈네요…….”

라이온 씨는 그 말을 듣고도 생각했던 것보다 낙담한 기색은 보이지 않았다.

“……그렇군요.”

살짝 눈을 내리깔며 온순하게 말한다.

“저도 같은 생각이라 이 뒤부터는 가사가 생각나지 않아서……. 그래서 류토 씨와 어떻게 하면 좋을지 상의하고 싶어요.”

상의.

그러고 보니 그런 얘기를 했었지.

그때는 라이온 씨에게 감정을 이입한 나머지 열의만으로 나서서 떠맡았지만, 작사 상의라는 건 대체 어떤 식으로 하면 되는 걸까.

그런 근본적인 벽에 벌써부터 봉착한 나는 홀로 당황했다.

“어, 음…….”

……‘어떻게 하면 좋을지’……?

어떡하지. 작사 같은 건 해 본 적이 없고 유행하는 음악을 듣는 편도 아니다. 아이디어가 전혀 떠오르지 않았다.

“……라이온 씨는 어떤 노래를 만들고 싶으세요?”

난처한 마음에 묻자 라이온 씨는 ‘그렇네요.’ 하고 입을 열었다.

“뭐랄까, 키티를 향한 제 마음을 가득 담아서…… 다른 사람들은 뭐가 좋은지 모른다고 해도, 키티에게만큼은 감동을 줄 수 있는 노래를 만들고 싶어요."

"그, 그러시군요……."

그런 말을 들어도 어차피 내게는 정책도 아이디어도 없었기에, 뭐라고 말해야 좋을지 알 수 없었다.

"으, 으음, 어떻게 하면 좋을까요……."

"어떡하죠."

"으음……."

그날 나는 라이온 씨와 20분 정도 통화를 이어갔지만, 결국 그에게 이렇다 할 힌트나 제안을 하지 못한 채 하는 수 없이 의논을 중단했다.

◇

라이온 씨의 가사는 그로부터 며칠이 지나도록 해결하지 못한 숙제로 남아 마음 한구석을 찜찜하게 만들고 있었다.

"카시마, 쿠로세, 오늘 밤에 시간 돼? 괜찮으면 내가 저녁 살게."

교정을 완료한 직후의 상쾌한 공기가 감도는 편집부에서 후지나미 씨가 나와 쿠로세를 식사에 초대했다.

후지나미 씨는 이렇게 교정을 마친 뒤처럼 여유가 있을 때 달에 한 번 정도 우리에게 저녁을 사 주었다.

"감사합니다. 갈게요!"

쿠로세도 다른 일정은 없는 모양이라, 우리들은 근무 시간이 끝난 뒤 셋이서 퇴근했다.

후지나미 씨가 우리를 데리고 간 곳은 역 근처 상업시설에 입점해 있는 카페 레스토랑이었다. 벽면이 전부 유리로 되어 있고 테이블과 카운터가 자연스러운 색감의 우드 계열로 통일된 세련된 인테리어의 가게였다.

쿠로세를 배려한 선택인 것 같지만 쿠로세와 나의 단골 회식 장소는 저가 선술집이었기에 어쩐지 웃음이 나왔다.

평일에는 거의 매일 얼굴을 맞대고 있는 세 사람이었기에 새삼스레 나눌 얘기는 없었다. 세상 돌아가는 얘기나 유행하는 만화 같은 것들로 수다를 떨다 후지나미 씨가 화장실에 간다고 자리를 비웠을 때였다.

"……있지, 카시마."

쿠로세가 조금 작은 목소리로 내게 말했다.

우리들이 위치한 곳은 유리로 된 벽 가의 4인용 테이블로, 나와 쿠로세는 마주 보고 앉아 있었다.

"이것 좀 봐 주지 않을래?"

쿠로세가 내민 것은 자신의 스마트폰이었다. 화면을 켜고는 내 쪽으로 슥 미끄러뜨렸다.

"뭔데?"

화면에 표시된 것은 라인의 채팅 화면이었다.

쿠지바야시 하루쿠　해리 포동통과 비밀의 빵

"……엥?"

황급히 전후 메시지를 확인했지만, 가장 직전의 메시지는 지난번에 쿠로세가 보냈던 '지당하신 말씀이네요…….'였다.

그 뒤에는 아무것도 없다.

물론 쿠로세도 아무것도 보내지 않았다.

"……이거, 무슨 의미인 것 같아? 2시간 전에 왔는데……."

쿠로세가 미간에 깊은 주름을 새기며 나를 쳐다보았다.

"……그, 글쎄, 뭘까……? KEEP 메모*로 착각했나……?"

구차하다고는 생각했지만 나 자신도 그게 사실이라고 여기고 싶었다.

그도 그럴 것이 너무나도 괴문서 같았기 때문이다.

"메모장으로 착각했다고 해도 너무 괴상하지 않아? 대체 뭐야? 개그 소재? 웃기는 대답이라도 써서 모아두고 있는 거야?"

"그냥…… 읽고 싶은 책 제목을 실수로 잘못 메모해 버린 거 아닐까?"

"그냥 실수가 아닌 것 같은데. 잘못에 일관성이 있잖아."

"아하하……."

그저 웃는 수밖에 없었다.

그때였다.

* 라인의 개인 대화방 기능.

“……?!”

우리들이 보고 있던 채팅 화면이 갑자기 스크롤 됐다. 쿠로세도 나도 손대지 않았는데.

화면을 스크롤 되게 만든 건 이모티콘이었다.

“……치이캬와……?”

치이캬와 이모티콘이 몇 개나 연속으로 올라왔다. 대충 센 것만 7개 정도일까.

초조한 얼굴이거나 불안한 얼굴로 바들바들 떨고 있는 것이 많았다.

마치 ‘답장은 아직이야?’라고 말하는 것처럼.

“헐, 싫어! 무서워! 전부 읽은 걸로 처리돼 버렸잖아!”

쿠로세가 비명처럼 소리를 질렀다.

“……무슨 일인데 그래?”

그때 후지나미 씨가 돌아와 원래대로 내 옆자리에 앉았다.

“……후지나미 씨, 이게 무슨 뜻인지 아시겠어요?”

나는 쿠로세의 스마트폰을 집어 후지나미 씨에게 ‘해리 포동통과 비밀의 빵’를 보여주었다.

“엥, 이게 뭐야, 웃긴다.”

후지나미 씨가 여고생 같은 대사를 치며 웃었다.

“『해리 포터와 비밀의 방』의 패러디잖아. ‘비밀의 빵’이 ‘포동통’의 원인인 게 명확해서 전혀 ‘비밀’이 아니라는 게 소소한 웃음 포인트네.”

해리 포동통과 비밀의 빵
19 : 12
19 : 12

심지어 바로 편집자 시점에서 분석까지 내놓았다.

"역시 유능한 편집자……."

"아냐~, 내가 해리 포터 세대라서 그래. 어렸을 때 즐겨 읽기도 했고."

"그렇군요……."

아르바이트라고는 해도 편집부에서 근무하고 있으면서, 그 방면의 교양에 무지한 자신이 부끄러웠다.

"이게 뭔데? 누가 보낸 라인이야? 센스가 있네."

"……저랑 알고 지내는 남자인데요……."

"앗, 그렇구나. 정말로 그냥 알고만 지내는 사이야~? ……아차, 이런 질문은 좋지 않지. 그만해야겠다."

술이 들어간 탓에 평소보다 쾌활하게 풀어진 후지나미 씨지만, 요즘 사회 기준의 윤리의식은 제대로 유지하고 있는 모양이다.

"하아……, 그래도 젊은 사람은 부럽네."

"후지나미 씨도 아직 20대시잖아요."

"아니지, 이제 너희들 같은 반짝반짝한 젊음은 잃어버렸다고. ……사회로 나간다는 건 그런 거니까."

후지나미 씨는 씁쓸하게 웃으며 말하고는 잔에 든 레몬 사워를 단숨에 들이켰다.

"연애에 들이는 에너지 같은 것도 그래. 지금은 일이 최우선이니까, 그 외의 시간에 굳이 타인을 만나러 움직일 만한 기력과 체력도 없어."

"……역시, 편집자는 바쁜가요?"

그때 쿠로세가 몸을 앞으로 기울이며 질문했다. 그녀는 진지하게 편집자를 목표로 하고 있었기에, 워라밸이 마음에 걸리는 모양이었다.

"그렇지. ……특히 나는 지금 개인적으로 진행하고 있는 일이 많아서 말이야."

후지나미 씨는 선뜻 대답하며 들고 있던 잔을 테이블에 내려놓았다.

"뭐, 그래도, 나 말고는 지켜야 할 게 없으니까 부담이 될 게 전혀 없어서 그만큼 일에 시간을 쏟아붓는 걸 수도 있지."

평일 오후 7시가 넘은 시각의 가게 안에는 정장 차림의 남녀도 많았다. 니트 재질의 스웨트 셔츠에 청바지를 입은 후지나미 씨는 어쩐지 무척 자유로운 어른으로 보였다.

"하지만 돈도 시간도 내가 원하는 대로 쓸 수 있고 2년마다 마음에 드는 동네로 이사를 갈 수 있으니까…… 나처럼 구속당하는 게 싫은 사람한테는 혼자 사는 게 맞을지도 모르겠다고 생각해. 가정을 꾸린 사람들을 보면, 자기 뜻대로 뭘 하기가 좀처럼 쉽지 않은 것 같더라고. 할 일은 많지만 일은 좋아하니까 충분히 만족스러워."

일…… 편집자의 일. 그걸로 매일 보람을 느낄 수 있는 후지나미 씨는 역시 우수한 편집자이리라.

그런 생각을 하는데, 얼마 전 라이온 씨의 상담에 제대로 응해 주지 못했던 자신의 답답한 모습이 뇌리를 스쳐 지나갔다.

"……저기, 후지나미 씨. 편집자에게 필요한 스킬은 뭘까요?"

내가 질문하자 후지나미 씨는 '오' 하고 눈썹을 들었다.

"카시마, 드디어 진심으로 편집자가 될 결심을 한 거야? 입사시켜 줘?"

쿠로세가 그 말에 눈썹을 치켜세웠다. 술이 들어가서 그런지 평소보다 감정 표현이 직접적이었다.

"후지나미 씨한테 그럴 권한이 있으시면, 저야말로 편집자로 뽑아 주세요!"

"아하하. 갑자기 인기가 폭발하네. 역시 남자는 권력이야~!"

후지나미 씨가 농담으로 화제를 돌리는 바람에, 결국 내 질문에 대한 답은 얻지 못했던 것이었다.

◇

다음 날 나는 편집부 알바를 하러 가기 전에 대학에서 쿠지바야시를 불러냈다.

내 수업은 3교시까지였기에, 4교시가 공강이라 도서관에 있다는 그를 캠퍼스 안뜰로 오게 했다.

캠퍼스 안뜰은 부지 가장자리를 따라 세워진 각 강의동으로 이어지는 연결로 역할을 하고 있다. 수업이 없는 학생들이 모이거나 어슬렁거리며 오가는 그곳에서, 나는 쿠지바야시를 발견했다.

쿠지바야시는 안뜰 중앙에 있는 굵직한 나무를 한 바퀴 에워싸듯이 설치된 돌 벤치에 앉아 책을 읽고 있었다.

"……저기 있잖아, 쿠지바야시."

내가 말을 걸자 쿠지바야시는 학문서로 보이는 책에서 눈을 떼고 고개를 들었다.

평소에는 인싸 학생들의 집합소가 되고 있는 벤치지만, 지금은 혼자서 온 몇 명의 학생이 한 사람씩 간격을 두고 앉아 있을 뿐 주위는 한산했다.

"어제 알바 하는 곳 직원분이 밥을 사 주겠다고 해서 쿠로세랑 같이 저녁을 먹다가…… 때마침 쿠지바야시가 쿠로세한테 보낸 메시지를 같이 보게 됐는데……."

쿠지바야시 앞에 선 채로 나는 차마 떨어지지 않는 입을 다독이며 말했다.

"사건이었어, 그건……."

"……."

쿠지바야시는 살짝 얼굴을 구겼지만 입은 열지 않았다. 손안의 책이 탁 소리를 내며 덮였다.

"먼저 묻고 싶은데, 그 '해리 포동통'은 대체 뭐야?"

내 질문에 쿠지바야시는 눈을 내리깐 채로 말문을 열었다.

"……쓸 만한 내용이 좀처럼 떠오르지 않아서 고심하길 며칠. 간신히 떠올린 자신작이었소."

"무슨 자신작?! 엽서 장인도 아니면서! 여자한테 보내는 메시지로 그런 괴이함을 자랑할 필요는 없다고."

"……하지만 기왕 읽게 할 거라면 그녀를 웃게 만들고 싶었소."

"……."

쿠지바야시의 순수한 의도를 듣자 아무 말도 할 수 없게 돼 버렸지만.

채팅 화면을 보여주던 쿠로세의 굳은 얼굴을 기억하고 있는 나는 속이 쓰렸다.

"……그리고 그 뒤의 이모티콘 연발도, 상당히 별로였어……."

그것을 언급하자 쿠지바야시는 발끈한 기색으로 나를 올려다보았다.

"그에 관해서는 소생은 그저 귀군의 여자친구를 모방했을 뿐이오."

"……아, 루나의……."

확실히 저번에 보여줬던 루나와의 채팅방에서는 루나가 이모티콘을 연속으로 입력하는 화면이 자주 등장했다. 루나는 흥분하거나 하면 종종 그런 식으로 이모티콘을 활용했기 때문이다.

우리들의 라인 화면을 보여준 건 굳이 말하자면 나의 재미도 없지만 실수도 없는 무난한 문구를 보고 '이렇게 적어도 된다'는 걸 알아차리길 바라서였다. 내 입으로 말하고도 처량하지만.

"……하지만 루나는 여자고 커뮤니케이션 능력이 높은 상급자니까 우리가 함부로 따라 했다간 화상을 입는다고."

쿠지바야시가 연속으로 보낸 대량의 치이카와와는 루나의 아재 토끼 연속 투고와 비교했을 때 상대방에게 주는 인상이 현저히 차이났다.

“쿠로세, 어제 잠은 잘 잤으려나…….’

다시금 쿠로세의 심정에 이입해 그녀를 동정했다. 내가 괜한 훈수를 두는 바람에 벌어진 일이라 면목이 없었다.

안 그래도 남자를 무서워하는 그녀에게 여태껏 느껴본 적 없는 유형의 공포를 선사해 버렸을지도 모르겠다.

“그래서, 쿠로세한테 답장은…….”

“없소. 읽기만 했다오.”

“그렇겠지…….”

나는 씁쓸하게 웃으며 쿠지바야시 옆에 앉았다.

“……수습할 문장을 써 보내자. 다시. 이런 건 빨리 보낼수록 좋아.”

“…….”

“이번에는 나랑 같이 고민하자. 쿠로세한테 보내고 싶은 말, 입으로 직접 하기는 어색할 테니까 일단 나한테 보내 볼래?”

“뭐…….”

쿠지바야시는 순간 질색하듯이 표정을 구겼다.

하지만 곧 생각을 바꿨는지 책을 가방에 넣고는 대신 바지 주머니에서 스마트폰을 꺼냈다.

“……그래서, 어떤 글을 지으면 좋겠소?”

“아, 물어봐 주는구나.”

“소생이 아무래도 아주 심한 잘못을 저지른 듯하니, 이제라도 가

입할 수 있는 보험이 존재한다면 들어가고 싶구려."

"오오."

쿠지바야시는 학문처럼 자신이 해박한 분야에 대해서는 자기주장이 강하고 완고하지만, 문외한인 분야에 대해서는 놀랄 만큼 순순히 따르는 구석이 있었다.

그렇다, 그는 아주 순수한 남자인 것이다. 좋은 의미로든 나쁜 의미로든 말이다.

지금은 나쁜 쪽이 도드라져 버린 상황이 됐지만, 좋은 쪽도 조금이나마 쿠로세에게 전해지면 좋겠다고 생각했다.

"어디 보자. 으음……."

그런 생각을 하며 눈앞에 펼쳐진 쿠로세와의 채팅 참상을 다시 보다가.

"……."

쿠지바야시가 이제라도 넣을 수 있는 보험이 정말로 존재하기는 하는 건지 스스로에게 되물으며 얼굴 근육을 굳혔던 것이었다.

제3.5장 루나와 니콜의 긴 전화

"그러고 보니 니콜은 말이지?"

"응~?"

"지난번에도 살짝 듣긴 했지만, 니시나랑은 어떻게 돼 가고 있어?"

"딱히, 여전해. 전에 얘기했을 때 그대로."

"……음, 리얼한 얘기를 물어봐도 될까?"

"새삼스레 뭐야. 우리 사이에."

"뭐, 그렇긴 하지만! 이젠 고등학생이 아니니까, 살짝 배려하는 차원에서?! 전화상이기도 하고!"

"아하하. 확실히 예전처럼 매일 만나서 얘기하긴 힘들어졌지. 전에는 매일 얼굴을 보고도 밤마다 전화를 했으니까, 지금 돌이켜보면 이상할 정도였어."

"내 말이! 그때는 왜 그렇게 할 얘기가 많았을까?"

"나는 지금도 실컷 얘기할 수 있지만, 시간이 부족하지, 사회인은."

"하긴~! 나도 그래! 니콜하고라면 얼마든지 얘기할 수 있어~! 어디 온천에라도 가서 아침까지 계속 수다를 떨고 싶어!"

"그거 좋다. 다음에 휴가를 맞춰서 가자~!"

"응! ……아, 그래도 그런 여행을 갈 만한 연차를 낼 수 있다면 먼저 류토랑 가는 게 좋을지도……."

"아~."

"오키나와 때는 못 했으니까……."

"까놓고 말해서 그냥 섹스만 할 거면 하룻밤만 있어도 충분하잖아. 주말에도 할 수 있지 않아? 아, 루나는 토, 일요일도 아침부터 근무했던가."

"토요일은 쉴 때도 있어. 달에 한 번 정도."

"그럼 문제없겠네?"

"하지만 토요일은 류토가 밤늦게까지 하루 종일 학원 알바라서."

"아……, 시간이 안 되는구나."

"어째 적당한 타이밍을 잡기가 쉽지 않단 말이지……. 저번에 언니의 남친을 만나러 갔을 때도."

"아, 메시지로 들었던 그거 말이지. 선배 때도 그렇고 루나는 정말 행동력이 너무 좋아서 탈이야."

"그치만, 언니를 그렇게 울린 남친을 용서할 수 없었단 말이야!"

"그래도 다행이네. 작사는 잘 되어가고 있는 거야?"

"음, 류토가 봐주고 있는 것 같긴 한데…… 글쎄? 류토도 뭐라고 조언을 해야 좋을지 모르겠는지 여자 의견도 들어 보고 싶다면서 영상을 보여줬는데…… 솔직히 잘 모르겠더라고. ……헤헤."

"그래? 이 시인 니콜 님이 한번 봐줘?"

"뭐? 앗, 그치만 그것도 괜찮겠다! 그리고 생각해 보면 마리아도 류토랑 같은 편집부 알바를 하고 있으니까, 이참에 다 같이 영상을 보고 조언해 버린다든가?!"

"우와, 카오스가 될 것 같아! 웃긴다!"

"그래도 재밌을 것 같지! 한번 제안해 봐야겠어~!"

"헐, 너무 재밌어하는 거 아냐?"

"아니거든! 나는 뭐든 상관없으니까 하나다 씨가 곡을 완성해서 언니한테 가기를 바라는 것뿐이야!"

"그래서? '언니의 남친을 만나러 갔을 때도' 다음은 뭔데?"

"어? ……아, 그렇지 참! 나, 돌아오는 길에 어쩌다 보니 류토한테 돌려 돌려서 엄청 닦달하는 바람에, 분위기가 위험했어!"

"그게 뭐야, 웃겨."

"하지만 너무 돌려 말해서 그런지 전혀 전달되지 않았어! 그냥 성가시기만 한 여자였어~! 죽고 싶어~!"

"그런데 이젠 딱히 눈치 볼 것도 없지 않아? 확실하게 '하고 싶으니까 유혹해 달라'고 재촉해 버려."

"싫어~! 그랬다간 내가 유혹한 게 돼 버리잖아~! 류토한테 듣고 싶어~! 전에도 말했잖아~!"

"그래 그래, 여자의 마음이란 말이지."

"니콜도 이해하지?"

"이해해. 나도 선배가 유혹해 주면 기쁘니까. 역시 하고 싶을 때는 남자가 먼저 원해 주기를 바라게 되잖아, 여자라면."

"응……. 참, 니시나는? 아, 맞다, 그 얘기를 맨 처음에 물어보려고 했어!"

"아하하, 우린 할 얘기가 너무 많아~!"

"그래서 니시나하고는……? 설마 아직 안 했어?"

"안 했어. 키스도 아직."

"뭐?! 아직도 손만 잡은 게 다라고?!"

"어~."

"그렇구나……. 왠지…… 순애? 같네?"

"뭐, 그런 셈이지."

"니콜은…… 만약 니시나가 유혹해도 지금은 절대 하고 싶지 않아? 전에도 그런 분위기로 흘러가지 않게 만들고 있다고 했잖아."

"음…… 아니, 딱히 상관은 없는데 말이지. 남자친구니까. 그편이 자연스럽다고 생각하기도 하고."

"그럼……."

"그래도 말이야. ……왠지, 렌은 그래도 괜찮은 건가? 싶은 생각이 들어서…… 나도 그렇지만……."

"……무슨 뜻이야?"

"난 말이지. 선배하고 있을 때는 너무 안기고 싶어서…… 평범하게 데이트를 하고 있을 때부터 젖어 있었어."

"우와, 적나라하네~!"

"그래도 이해하지?"

"이해해. ……내 경우에는, 역시 고2 마지막 때였으려나?"

"그치? 아무래도 좋아하는 사람 앞에서는 몸이 그렇게 되는 시기가 있잖아? 하지만 렌이랑 있을 때는 아직 그런 느낌이 안 든단 말이지.”

“……그건, 기다리면 곧 찾아오는 거야?”

“모르겠어. 난 다른 사람은 선배밖에 좋아해 본 적이 없으니까.”

“……하지만 니시나도 좋아하는 건 맞지?”

“응. ……좋아해. 친구였을 때부터 계속.”

“잠깐만, 그거 설마 남자친구로서가 아니라 ‘친구로서 좋아한다’는 뜻은 아니지?”

“……모르겠단 말이지.”

“뭐?! 거기서부터라고?!”

“그치만, 처음에는 ‘친구로서 좋아했다’고 해도, 친구에서 연인이 되는 건 평범하게 세상에도 흔히 있는 일이잖아?”

“응, 자주 얘기를 듣지.”

“그래서 이대로 사귀다 보면 렌을 선배처럼 좋아하게 될 날이 올지도 모른다고, 느긋하게 전진하자고 생각하고 있어.”

“그렇구나……. 하지만…….”

“응?”

“니시나가 안됐다는 생각이 들어. 니콜이 그렇게 될 때까지 시간이 얼마나 걸릴지 모르니까.”

“……뭐, 그렇지. 볼 때마다 미안하게 생각해.”

“니콜…….”

“그래도 말이야. 지금 이 상태의 내가 이런 마음으로 무턱대고 진행했다간…… '하게 해 준다'는 느낌이 돼 버릴 것 같지 않아?"

"아~! 그건 그만두는 편이 좋아! 후회하니까!"

"경험담이야?"

"응……. 마음이 조금씩 닳아서 깎여 나가는 느낌이 확실히 있어. 당시에는 그게 평범한 거고, 사랑이라고 생각했으니까…… 지금 돌이켜보면 아니지만."

"남자한테는 그런 게 없나? 남자는 좋아하지도 않는 여자하고도 할 수 있다니까, 없는 걸까?"

"신기하지."

"여자는 정말 성가셔~! 나도 나한테 진저리가 난다니까."

"나도~. 내가 이렇게 성가신 여자인 줄은 상상도 못 했어."

"루나랑 카시마는 이래도 안 한다고 라는 생각이 들 만큼 마구 기회를 놓치고 있지만 말이야."

"맞아~."

"그렇게 카시마 류토는 여전히 경험이 없는 상태고 말이지."

"……그렇지."

"그러니까 그런 순정 만화 같은 행동을 기대해 봤자 무리라고."

"……예. 저도 지금, 엄청, 그렇게 생각합니다."

"왜 말을 끊어서 해?"

"……그치만, 나, 류토한테 유혹당하고 싶단 말이야, 엄청."

"아하하, 누구를 흉내 내는 거야."

"……순정 만화 같은 건 딱히 바라지 않아. 서툴러도 괜찮으니까 류토의 진심을 얘기해 줬으면 좋겠어. 내 앞에서 참지 말았으면 좋겠어. 꼴사나워도 되니까, 전부 보여줬으면 좋겠어."

"루나……."

"나는 그걸 받아들일 준비가 돼 있으니까."

제 4 장

11월로 접어든 지 얼마 되지 않은 어느 날 저녁.

나는 방에서 노트북 위에 펼쳐진 5분할 화상 회의 화면을 보고 있었다.

"다들 죄송해요. 저 때문에……."

라이온 씨가 화면 너머로 보이는 다다미방에서 어쩔 줄을 몰라 하고 있다.

"괜찮아요! 우린 다들 하나다 씨 응원단이니까! 마리아도 계속 언니를 걱정하고 있었고요."

"처음 뵙겠습니다, 마리아입니다. 언니가 신세를 지고 있습니다. 가능하면 앞으로도 계속 잘 부탁드릴게요."

화면 너머의 말끔하게 정리된 방을 배경으로 루나의 소개를 받은 쿠로세가 고개를 숙였다.

"무, 물론입니다……."

라이온 씨는 가냘프고 조심스럽게 대답하면서도 확실히 고개를 숙였다.

"마리아는 류토랑 같은 편집부에서 일하고 있고, 편집자를 목표로 하고 있어요. 도움이 될 수 있을 거라고 생각해요!"

"잠깐만 루나, 허들을 높이지 말아 줘."

"뭐 어때! 그리고 이쪽이 제 친구 니콜이에요."

루나가 화면의 오른쪽 아래를 가리켰지만, 내 화면에서는 배치가 달라서 야마나는 루나 옆에 있었다.

"안녕하세요~! 자칭 시인이라 작사에 관심이 있어서 살짝 구경하러 왔습니다."

그런 구경꾼 선언을 대놓고 하며 웃었지만, 야마나 치고는 격식을 차린 말투였다.

"다들 감사합니다. ……잘 부탁드릴게요."

그렇게 라이온 씨가 여자친구 키티 씨를 위해 만든 노래의 작사 회의가 시작되었다.

이 회의는 루나와 야마나가 전화에서 나눈 대화가 발단이 되어 개최되었다.

내가 라이온 씨의 작사에 대해 상의하자 이 멤버들에게 말을 걸어준 것이다.

"정말 인트로 말고는 완성된 부분이 없나요?"

"네……. 단편적으로 완성된 부분이라면, 있긴 하지만……."

루나의 질문에 라이온 씨가 대답했다.

"그래도 이래서는, 키티에게 전혀 감동을 주지 못할 것 같아서, 인트로를 포함해서, 전부 폐기할까 생각 중이에요."

"네?! 그건 곤란해요! 그런 짓을 해서 남은 한 달 동안 가사를 다

쓰실 수 있겠어요?!"

루나가 다급한 목소리로 외쳤다.

"작사는 한 곡에 얼마나 걸려, 니콜?"

"엥? 나도 모르지……. 그래도 프로들의 얘기를 들어 보면 하루 만에도 완성되는 것 같던데? 분량이 그렇게 많지도 않잖아."

"맞아. 문장은 만화와는 다르게 작업 공정이 간결하니까, 소설 문고 한 권 분량이라도 손이 빠른 사람은 일주일이면 다 써낸다고 편집자분한테 들었어."

"헐, 대박! 책 한 권을 일주일 만에 써 버리는 거야?!"

"그건 유난히 손이 빠른 작가들의 경우고, 항상 그런 속도로 쓸 수 있는 것도 아닌 것 같지만."

쿠로세는 그런 얘기를 어디서 듣고 온 걸까. 나와는 달리 미래의 업무에 활용하려고 평소부터 후지나미 씨나 다른 편집자들을 상대로 리서치를 하고 있겠지 싶어서 존경스러웠다.

"그럼 스케줄적으로는 충분히 여유롭다고 할 수 있겠네……, 한 달이나 남았으니까."

"그렇지, 일단 마감일부터 정하지 그래? 어떤 원고든 마감일을 정하는 건 필수라고 편집자분이 말했어."

"아, 그러게! 그럼……."

"한 달 뒤로 잡으면 되지 않을까? ……딱 크리스마스잖아!"

"헐, 벌써 그렇게 됐어?!"

루나의 외침에 나도 놀라서 스마트폰 달력을 확인했다.

정확하게는 한 달 하고도 며칠 뒤가 크리스마스였다. 올해도 어느새 벌써 그런 계절이 된 것이다.

"엇, 그럼, 이브에 여자친구를 만나러 가서 노래를 부르면 어때? 그거 로맨틱하지 않아?!"

야마나가 흥분한 기색으로 제안했다. 이 사람, 은근히 감성적이란 말이지.

"우와, 그거 좋다! 그렇게 해요, 하나다 씨!"

루나도 신나게 말했다.

"어? 어…… 하지만 전, 멋대로 키티의 집을 나와서, 약속 같은 건 할 수 없……."

"제가 언니를 데려올게요! '크리스마스니까 같이 밥이나 먹자'고 하든지 해서!"

"루나보다 내가 얘기하는 편이 나을걸. '남친이 있는데 이브에 날 신경 쓸 필요 없다'면서 삐질지도 모르니까."

쿠로세가 말했다.

"하긴. 그럼 그건 마리아한테 맡기고…… 노래는 어디서 하지?"

"기왕 하는 거니까 일루미네이션이 예쁜 곳이 좋지 않겠어?"

"그러게, ……아! 하나다 씨는 길거리 뮤지션이시죠? 혹시 역 앞인데 일루미네이션도 있고 분위기가 좀 괜찮은 곳 없나요?"

"아, 그거라면……."

라이온 씨가 생각이 난 것처럼 말했다.

"요코스카추오역 앞에 광장이 있어서…… 겨울이 되면, 커다란 나무가 크리스마스트리처럼 조명으로 장식돼요. 거기라면 거리 공연도 많이들 하니까…….”

“앗, 그럼 거기로 해요!”

그렇게 결행일과 장소가 수월하게 정해졌다.

“남은 건 가사를 생각하는 것뿐이네요…….”

처음의 과제로 돌아온 우리들은 순간 침묵했다.

“저, 저기.”

그때 라이온 씨가 말을 꺼냈다.

“여자들은…… 남자친구가 어떤 말을 해 주면 기뻐하나요……?”

“음~, 그건 말이죠!”

그 질문에 제일 기뻐한 건 루나였다.

“‘너를 끌어안고 싶어’라든가 ‘너를 원해’라든가 ‘네 모든 걸 빼앗고 싶어’ 같은 걸까요!”

“잠깐만, 루나! 욕망이 줄줄 새고 있잖아!”

야마나가 참을 수 없다는 듯이 웃음을 터뜨렸다.

“……하아…….”

라이온 씨는 루나의 기세에 압도당한 듯 쩔쩔매는 표정으로 테이블에 놓아둔 종이에 메모를 하고 있었다.

나로 말할 것 같으면.

“…….”

화면의 어디를 봐야 좋을지 알 수 없어 방 안을 휘휘 둘러보며 머릿속을 정리하고 있었다.

뭐지, 방금 그건…….

루나가 '남자친구에게 듣고 싶은 말'…… 루나의 남자친구는 나…… 그렇다는 건, 방금 한 말은 전부 루나가 나한테 듣고 싶은 말……?! 그런 건가?!

—너를 끌어안고 싶어.

—너를 원해.

—네 모든 걸 빼앗고 싶어…….

머릿속으로 전부 말해 봤다가 상상 속에서조차 견디지 못하고 격침되고 말았다.

무리다.

애초에 '너를 끌어안고 싶어'가 뭔데. 어떤 상황에서 하는 대사냐고. 가능한 상황이라면 굳이 말로 할 것 없이 그냥 끌어안으면 되는 거잖아. 불가능한 상황이라면 처음부터 말해 봤자 소용없고.

"그리고~, 역시 '귀엽다'든가 '예쁘다'는 말을 듣고 싶지~."

이어서 야마나가 말을 꺼냈다.

"있지, '좋아해'란 말도 듣고 싶지 않아? 니콜?"

"좋지~. 매일이라도 듣고 싶지."

"'사랑해'는?"

"그건 가끔이면 충분해. 매일 들으면 오히려 거짓말 같을 테니까."

"알 것 같아~!"

루나와 야마나가 흥분하고 있다.

라이온 씨가 빠르게 펜을 움직였다.

"……그럼, 반대로 듣고 싶지 않은 말은, 있나요?"

"엥~, 뭐가 있지?"

루나가 생각에 잠긴 사이 야마나는 더욱 흥분했다.

"나는 있어! '네가 제일'이라는 말! 그럼 두 번째는 누군데 라는 느낌이랄까! 완전 짜증 나!"

"혹시 세키야 씨한테 들었던 말이야?"

"맞아! 내가 다른 여자한테 질투할 때마다 그렇게 말했어! 아~, 생각나니까 또 화가 나기 시작하네!"

"아……."

루나가 쓴웃음을 지었다.

"그럼, 반대로 듣고 기뻤던 말은 뭐였어?"

"'너뿐'이라고 말하면 용서할 수 있었어! 나밖에 없다는 뜻이잖아! 응응, 좋아! 라는 느낌."

"아~, 무슨 느낌인지 알 것 같아~."

루나가 고개를 끄덕였다.

나는 그런 말을 한 적이 없는데…… 라는 생각이 들어 불안해하고 있는데.

"나도 류토랑 사귀기 시작했을 때 들었던 말 중에 엄청 기뻤던 게 있거든."

루나가 기뻐하며 얘기를 꺼냈다.

"'나는 여자애를 사귀는 것도 처음이고 달리 친한 이성 친구도 없으니까, 못 하게 한다고 해서 다른 애로 갈아탈 일은 없다'는 느낌의 말."

그러고 보니 그런 말을 했던 것도 같다. 화면에 비친 사람들의 얼굴이 나를 주목하고 있는 듯한 기분이 들어서, 왠지 무척 창피했다.

"'나는 이 사람에게 지금 이 순간 조건 없이 특별한 존재구나.'라는 생각이 들어서…… 왠지, 엄청 기뻤어……."

뺨을 확 붉히며 루나가 정말로 기쁜 듯이 말했다.

"그런 식으로 '특별함'을 느끼게 해 주는 말들은, 역시 소중하다고 생각해. ……앗, 죄송해요! 이런 잡담은 작사랑은 상관없겠죠?"

"아뇨, 공부가 됩니다."

라이온 씨는 진지하게 말하며 메모했다.

그리고는 펜을 멈추더니 불쑥 고개를 들었다.

"……하지만 '네가 제일'이라고 말해 버리는 남자친구의 마음도 이해는 가요. ……남자들은 아무리 그러지 않으려고 해도 승패나 순위에 집착하는 경향이 있으니까요."

살짝 쓴웃음을 지으며 라이온 씨가 먼 곳을 바라보았다.

"본인이 첫 번째가 되고 싶으니까…… 여자한테 '네가 제일'이라는 말을 들으면 기쁘니까…… 상대방을 기쁘게 하고 싶다는 생각에, 악의 없이 말해 버린 거겠죠……."

라이온 씨의 말이 혼잣말처럼 이어졌다.

"전 남친한테는 당연히 이기고 싶고…… 여자친구랑 아는 사람이나 이성 친구는 물론이고 이 세상의 모든 남자들에게 이기고 싶은 거죠. 여자친구에게 '제일 사랑받는 남자'가 되고 싶어서요."

그 말을 들은 야마나가 '아~' 하고 하늘을 올려다보았다. 그녀의 배경은 근사한 카페 느낌으로 합성되어 있었지만, 몸을 기대고 있는 좌식 의자의 등받이가 아주 살짝 보였다.

"왠지 조금 납득이 가는 것 같아. 그런 거였구나 라는 느낌."

그렇게 말하며 살짝 뺨을 부풀린다.

"그걸 얘기해 줬으면 나도 그렇게 화가 나진 않았을 텐데 말이야. 말로 하면 어디가 덧나는 거냐고."

"할 수 없죠, 그런 꼴사나운 말은요. 저도, 이런 자리가 아니었다면 이런 걸 해설하고 있지 않았을 거예요."

라이온 씨는 씁쓸하게 웃었다.

"그리고 말이죠, 남자는 여자한테 '너뿐'이라는 말을 들으면 아무리 좋아하는 사람이라도 부담을 느껴요."

"엑~?!"

"어째서?!"

루나와 야마나가 동시에 경악에 찬 소리를 질렀다.

"그게 말이죠……, 일이나 취미처럼 다른 중요한 것들도 많을 텐데, 그것들을 전부 제쳐놓고 집중하고 있다는 느낌을 받게 되면, 왠지 조금…… 숨이 막혀서……. 그런 여자친구와 헤어졌을 때는, 엄청난 해방감이 느껴질 만큼 기뻤어요."

라이온 씨는 그 대목에서 퍼뜩 정신을 차린 듯한 얼굴을 했다.

"아, 키티는 아니고요! 예전 얘기예요."

그렇게 말하고는 과거를 회상하듯 살며시 눈을 내리깔았다.

"하지만 여자도 자신이 원하는 말을 상대에게 전달하고 있었을 뿐이었네요. ……그 사실은 방금 알았어요."

그때, 한참을 계속 침묵하고 있던 쿠로세가 입을 열었다.

"……남자는 넘버 원, 여자는 온리 원이 되고 싶어 한다는 말이네."

그 말에 루나와 야마나가 술렁거렸다.

"헐, 마리아 굉장하다! 편집자가 아니라 작사가가 되려는 거야?"

"아~, 그거 내가 하고 싶었던 말인데~!"

"'세상에 하나뿐인 꽃'* 같네요."

라이온 씨가 그렇게 말했다.

"아~, 초등학교 때 음악 교과서에 실려 있었던 거다!"

"좋은 노래지."

"……같은 가수의 노래 중에, '라이온 하트'라는 것도 있는데요. 제 이름도 거기서 유래한 거예요."

라이온 씨가 불현듯 그런 말을 꺼냈다.

"어머니가 임신했을 때 유행했던 노래라고요. 제 성별이 남자라는 걸 알았을 때, '좋아하는 사람을 라이온 하트처럼 지킬 수 있는 남자가 되기를' 바라면서, 지어 주셨다는 것 같아요."

"헐, 멋지다! 완전 감동적인 에피소드네요."

"……지금은 그렇게 생각하지만, 예전에는 창피했어요. 그도 그

---

* 일본의 아이돌 그룹 SMAP의 대표곡.

럴 게, 평범하지 않은 이름이잖아요."

신이 난 루나를 향해 라이온 씨가 난처하게 웃었다.

"키티를 처음 만났을 때, 그 얘기를 했어요. 그랬다가 서로의 특이한 이름 에피소드에 공감하고 열을 올리면서, 단번에 친해졌죠."

"확실히 언니는 이름이 꽤 독특하니까! 엄마도 반성하고 우리 이름은 아빠한테 지어 달라고 했대."

"하지만 한자를 엄마가 고르는 바람에 결국 특이해져 버렸지."

"그래도 난 이 이름을 좋아해!"

"나도."

그런 훈훈한 자매 토크를 저도 모르게 생글생글 웃으며 듣고 있다가.

"아, 작사 얘기로 돌아가죠."

라이온 씨의 작사를 도와준다는 자신의 임무를 떠올렸다.

"여성이 듣고 싶은 말, 은 대충 이런 느낌이라고 보면 될까요?"

"아, 마리아가 말하지 않았잖아!"

거기서 루나가 눈치챘다.

"마리아는? 마리아는 남자친구한테 들으면 기쁜 말이나 싫은 말 있어?"

"남자친구가 없어서 몰라."

쿠로세가 단호히 대답했다.

"그, 그렇구나. 그럼…… 좋아하는 남자한테 들으면 기쁜 말은?"

"그야 당연히 '사귀어 주세요'지."

"……그렇겠지……."

그때 야마나가 입을 열었다.

"앞으로 남자친구가 될지도 모르는 남자에게 들으면 기쁜 말은? 뭐라도 없어?"

"……나한테 아첨하지 않는 말."

쿠로세는 잠깐 고민하더니 그렇게 대꾸했다.

"'귀엽네'라든가 '좋아해' 같은 말을 좋아하지도 않은 남자에게 들어 봤자, 너무 뻔해서 내가 그 사람을 좋아할 이유가 되지 않잖아?"

쿠로세의 말에 나머지 두 여성이 조금 아리송한 표정을 지었다.

"그럴 바엔 그 사람의 인품이나 진심이 묻어나오는 말을 듣는 편이 훨씬 기뻐. 그 사람에 대해 알 수 있으니까."

하지만 나는 알고 있다. 사토 나오키에게 '귀엽다'는 말을 듣고 기뻐하는 듯했던 그녀의 모습을.

생각해 보면 그건 그때 이미 그녀가 사토 씨에게 호감을 품고 있었기 때문이었으리라.

쿠로세는 아마도 루나와 달리 자신이 강하게 '호감'을 느낀 상대가 아니면 사귈 마음이 들지 않는 것이리라.

그래서 남성이 먼저 특별한 매력을 드러내서 자신을 반하게 만들어 주기를 기대하는 것이다.

사토 나오키에게는 그런 매력이 있었다. 그렇기에 그의 '귀엽다'는 말은 쿠로세의 마음을 울렸다.

그건 예전부터 줄기차게 '좋아해'라는 말을 듣고 인사처럼 '귀엽다'는 말을 들어온 쿠로세였기에 정립된 연애관 같다는 생각이 들었다.

그렇게 확고한 자아를 갖고 있는 쿠로세라서, 나는 그녀가 쿠지바야시에게 반하지 않아도 상관없지만, 친구는 됐으면 좋겠다고 생각했다.

나와 친구로 남아 준 두 사람에게는 아마도 나와 비슷한 면이 있을 것이고, 그 공통점이 틀림없이 어딘가에서 서로 통할 거라고 생각했기 때문이다.

나는 그렇게 생각하며 다시 회의 내용에 생각을 집중했다.

"대충 그런 느낌일까요? 라이온 씨, 참고가 되셨어요?"

"……네. 열심히 해 보겠습니다."

라이온 씨는 결의가 담긴 표정으로 고개를 끄덕였다.

"다들 바쁘신 와중에 정말로 감사했습니다."

역시 솔직하고 예의 바른 면이 그의 매력 같다는 생각이 들었다. 여자친구에게도 이런 식으로 꼬박꼬박 말로 감사와 경의를 표했겠지. 그런 그도 정작 중요한 말은 못 하고 달아나 버렸지만.

방금 전 루나의 발언을 듣고 라이온 씨를 보면서 나는 살짝 스스로의 행동을 반성했다.

"루나."

화상 회의가 종료되는 분위기 속에서, 나는 루나에게 말을 걸었다.

"이 뒤에 잠깐, 둘이서만 얘기할 수 있을까?"

"어?"

루나는 어리둥절해했다.

"으, 응, 괜찮은데……."

"그럼, 우리는 먼저 빠져 줄까?"

"아, 그러게. 그러자. 그럼 안녕~."

쿠로세와 야마나가 나와 루나를 배려하듯이 차례대로 퇴실했다.

"정말로 감사했습니다."

한 번 더 감사 인사를 한 뒤 라이온 씨도 퇴실했다.

그렇게 화면에는 나와 루나만 비치게 되었다.

"……무슨 일인데, 류토?"

루나는 둘만 남게 되자 어째서인지 불안해하고 있었다.

"응, 그게……."

나에게도 그 불안감이 전파되어, 괜스레 심장이 두근거렸다.

"우리가 사귄 지, 벌써 4년 반이네……."

"아, 그러게. 딱 크리스마스쯤에."

"응……."

루나가 조금 전에 했던 말을 떠올리며, 나는 용기를 내어 말했다.

"……저기, 루나는, 나한테 첫 여자친구고…… 처음부터 특별한 존재였지만……."

화면을 사이에 두고 있는데도 눈을 마주칠 수 없다. 나는 아직 그런 남자다.

"……지금도, 계속 특별해."

그래도 말해냈다.

"류토……."

루나가 활짝 웃는다. 그 눈에 물기가 어려 있는 것처럼 보였지만, 화질이 나빠서 확신은 할 수 없었다.

"류토는 나한테 제일이야."

보들보들한 실내복 후드 집업을 입고 가슴에 손을 얹은 채 루나가 진심이 담긴 어조로 말했다.

"제일 멋지고, 제일 근사하고, 제일 좋아하는 남자…… 라는 뜻!"

"루나……."

루나를 기쁘게 하려고 말했는데, 오히려 내가 기뻐지고 말았다.

뭐라도 좀 더 말해 주고 싶은데…… 라고 생각하다 떠올린 건 아까 루나가 했던 말이었다.

—너를 끌어안고 싶어.

—너를 원해.

—네 모든 걸 빼앗고 싶어…….

"……."

이, 이걸 입 밖으로 말하는 건……! 허들이 너무 높잖아……!

하지만…….

—드라마에서는 '연인이 이런 식으로 말해 주면 좋을 텐데'라고 생각한 대사를 남자에게 얼마든지 뱉게 할 수 있지만…… 현실의 인간은 그렇게 자기 뜻대로 되지 않으니까.

그날, 석연치 않았던 루나의 말이 떠올랐다.

석연치 않은 감정은 그 뒤로도 계속 마음 한구석에 남아 있다.

아까도 루나가 나에게 듣고 싶은 말이 있다면, 그건 분명 그런 말이 아닐까 하고 생각하지 않았던가. 그게 루나가 나에게 준 힌트일 거라고.

그렇다면 나는 그것을…… 루나에게 말해 주고 싶었다.

"나는, 루나를…… 항상…… 끌어안고 싶다고…… 생각하고 있어."

이것이 한계였다.

숨이 찰 만큼 가슴이 뛰는 것을 느끼며, 간신히 거기까지만 말할 수 있었다.

"류토……."

루나가 감격에 찬 목소리로 중얼거리더니.

"정말~, 왜 하필 지금 영상 통화 중인 거야……."

애달픈 목소리로 말했다.

"꼭 껴안고 싶어어……, 류토오……."

루나의 얼굴이 화면으로 다가온다.

"그리고, 아침까지 함께 있고 싶어……."

한숨을 닮은 목소리에 저도 모르게 화면 너머로 가슴을 두근거리고 말았다.

"루나……."

"다음에 만났을 때, 다시 말해 줄래?"

나는 응…… 이라고 대답하려다 퍼뜩 깨달았다.

지금은 물리적으로 거리가 있어서 대사를 말하는 것만으로 끝났지만.

눈앞에서 루나에게 '끌어안고 싶다'고 말했다간 그다음에 오는 건…… 솔직히 다음에 오는 게 그런 전개가 아니라면 이런 말은 하고 싶지 않다.

하지만.

—우리…… 여기까지 온 거, 어쩌면…… 결혼을 먼저 하는 것도 괜찮은 선택지 아닐까?

그렇게 말했던 루나에게 이런 말을 해도 될지 알 수 없었다. 나는 예전 남자친구들과 다르게 루나의 의사를 존중하기로 마음먹은 남자니까.

결국 최근의 현안 사항으로 돌아가 버리는 것이었다.

"……응……."

그런 생각을 거듭하다 보니 대답도 애매해질 수밖에 없었다.

그런 내 모습을 보며 무슨 생각을 한 건지 루나가 응석을 부리듯 미소 지었다.

"아직 끊기 싫어……. 있잖아, 우리 켜잠해 보지 않을래?"

"켜……, 켜잠……?"

그게 뭐야……?!

"통화를 계속 켜놓고 자는 거야."

"그, 그게 가능해……?"

이를 갈거나 코를 골기라도 하면……. 나는 그런 불안감을 느끼며 오늘 밤 잠을 뒤척일 스스로를 걱정했다.

"모르겠어. 니콜이랑 전화하다 잠드는 경우라면 있었지만, 그때는 깨어 있는 쪽이 통화를 끊었으니까."

뭐, '켜잠을 하자'는 합의가 없다면 그렇게 되겠지.

"그, 그 '켜잠'이라는 건 커플 문화야……?"

"요새 자주 보이던데~, SNS 같은 데서. '남친이랑 켜잠했어~ 행복해♡' 같은 게."

"그렇구나……."

나와 루나의 타임라인은 아무래도 무척 분위기가 다른 모양이다. 알고는 있었지만. 루나 쪽에는 분명 KEN 키즈들의 내부 분쟁 폭로 글 같은 건 흘러들어오지 않겠지.

"응~? 해 보자~♡"

"으, 응, 알았어……."

그런 이유로, 어째서인지 화상 회의에서 계속 통화를 켜놓은 채 잠들기로 얘기가 흘러가고 말았다.

화면이 있으면 잠을 자기 어려워서 라인 음성 통화로 전환했다.

"류토, 제대로 침대에 누웠어?"

"어?! 자는 거야?"

"침대에 누워서 통화하지 않으면, 잠들 수가 없잖아?"

"그건 그렇지……."

루나의 말에 나도 침대로 파고들었다.

"류토? 이제는 침대에 누웠어?"

침대 안에서 루나의 목소리가 귓전을 울린다……. 왠지 무척 가슴이 두근거렸다.

"응……."

동요하면서도 대답하자 루나가 후훗 소리 내 웃었다.

"침대에 누워 있어서 그런가……? 왠지 조금…… 야한 기분이 들지 않아……?"

"뭐?!"

"안 들어? 나만 그런 거야~?"

놀리는 것 같기도 하고 토라진 것 같기도 한 루나의 목소리에 나는 완전히 항복할 수밖에 없었다.

"……듭니다……."

"와아~, 만세! 류토도 야해졌다아."

루나가 기쁜 듯이 웃었다.

"야한 류토는 나랑 뭘 하고 싶어?"

전화기 너머에서 루나가 상기된 목소리로 말했다.

"나는 말이지……."

다리를 꼼지락거리는지 천이 스치는 소리가 난다.

"류토랑 쪽쪽 하고 싶어~!"

"……?!"

루, 루나?! 뭐지, 이 텐션은…… 설마 취하기라도 한 건가?! 하지만 아까 화상 회의 중에는 분명 멀쩡했는데, 이게 바로…… 잠들기 전의 침대라는 궁극의 릴렉스 공간이 만들어낸 내추럴 섹시……!

"류토오~, 쪽."

"?!"

귓가에서 루나의 입술 소리가 났다.

스마트폰에 키스하고 있다고 생각하자 가슴이 두근거렸다.

"……류토도, 해 줄래?"

"어?!"

그런 부끄러운 짓을…… 이라고 생각하면서도 시키는 대로 스마트폰에 입술을 댔다.

"……해, 했어."

"엥, 소리가 안 나면 몰라! 소리가 나게 해 줘어."

"무, 무리야, 미안."

"에엑~?!"

루나가 불만스러운 소리를 내게 만들어 버렸다. 면목이 없었다.

"아……, 류토가 지금 옆에 있으면 좋을 텐데 말이야……."

루나가 문득 그런 말을 했다.

"지금 말이지, 치짱을 꾹 끌어안고 있어. 류토라고 생각하면서♡"

"뭐?!"

"류토오…… 꼬오오옥!"

꽉 하고 천이 스치는 소리가 난다.

루나가 정말로 품에 안긴 것 같다.

"……류토도, 뭔가 안아 줄래?"

"어?! 으, 응……."

하지만 봉제 인형이나 바디필로우처럼 안기 적당한 물건은 주변에 없었기에, 나는 어쩔 수 없이 이불을 끌어안았다.

“꼬옥 안고 있는 거 맞아?”

“으, 응…….”

“내 이름을 불러 줄래?”

루나의 칭얼거리는 목소리가 귀를 간지럽혔다.

“……루, 루나…….”

“류토오…….”

아마도 치짱을 끌어안고 있을 루나가 하아 하고 관능적인 숨결을 흘린다.

“……안심이 돼……. 꼭 류토한테 안겨 있는 것 같아…….”

그런 말을 듣자 이불이 루나처럼 느껴지기 시작해서 몸이 달아올랐다.

“있지, 좋아한다고 말해 줄래?”

루나가 더 칭얼거리는 목소리로 보챘다.

“……조, 좋아, 해.”

“아, 그거 ‘조조아예요’의 재현이야?”

분명 고2 때 고백했던 걸 말하는 것이리라. 그럴 의도가 아니었던 나는 민망함을 느꼈다.

“좀 더 속삭이는 것처럼, 말해 줄래?”

하지만 루나의 달콤한 닦달에는 저항할 수 없었다.

“……좋…… 아, 해…….”

"응……."

루나는 내 고백을 음미하듯이 신음했다.

"……나도, 좋아해……."

귀를 간지럽히는 듯한 속삭임에 전신에 소름이 돋았다.

이 통화, 너무 위험하다.

켜잠에 빠지는 커플들의 심정이 이해가 갔다.

"아……. 너무 마음이 편해서 그런가, 잠이 오려고 해……."

루나의 목소리가 점점 느려지기 시작한다.

"류토오……."

꼬오오오옥 하고 천이 스치는 소리가 난다.

"조아해……♡"

귀에 난 솜털을 어루만지는 것처럼 사람을 간지럽히는 달콤한 목소리.

곧이어 색…… 색…… 하는 깊고 규칙적인 숨소리가 들려왔다.

"……루나?"

대답이 없다. 돌아오는 건 잠에 빠져든 숨소리뿐이다.

그대로 통화 상태를 유지하고 있자 천이 스치는 소리와 함께 '응……' 하는 요염한 목소리가 들려왔다.

너무 무방비하다.

자기 방의 침대라는 100퍼센트 사적인 공간이기에 가능한 그 편안한 느낌이 실시간으로 전송돼 왔다.

이 상황이 너무나도 야한 나머지 듣고만 있어도 참을 수 없는 기

분이 들었다.

"잠이 안 와……."

흥분해 충혈된 눈으로, 나는 천장을 노려보며 스마트폰에 계속 귀를 기울였다.

◇

"쿠로세, 그저께는 고마웠어."

다음 편집부 알바에서 마주친 쿠로세에게, 나는 화상 회의에 참여해 준 것에 감사 인사를 했다.

"나야말로 고마웠어. 내가 할 수 있는 일이 있거든 뭐든 말해 줘."

오히려 감사 인사를 받고 말았다.

"그래서 어떻게 돼 가고 있어? 가사는 완성될 것 같아?"

"으음……."

그저께는 의욕에 차 있었던 라이온 씨였지만, 그 뒤로 진척 보고는 없었다.

"글쎄, 어떻게 돼 가고 있는 건지……."

나는 솔직히 말하자면 스스로에게 분노를 느끼고 있었다.

서포트를 맡기로 했지만 어떻게 도와줘야 좋을지 알 수 없어서 뒷짐만 지고 있다는 느낌을 지울 수 없었다. 그런 와중에도 시간은 점점 줄어들고 있었기에 조바심만 계속 커져 갔다.

"그렇지, 카시마."

그런 나에게 쿠로세가 말했다.

“오늘 밤에 오랜만에 술 마시지 않을래?”

“어?”

“12월이 되면 선술집이 복작거릴 거 아냐. 알바 하느라 고생이 많았다는 의미로 쁘띠 망년회나 하자고.”

듣고 보니 며칠 뒤면 벌써 섣달이다.

“아, 응, 좋아.”

“그럼 일 끝나고 봐.”

쿠로세는 미소를 지으며 떠나갔다.

무슨 좋은 일이라도 있었던 걸까, 하고 생각했다.

◇

“건배!”

그날의 알바가 끝난 뒤 우리들은 늘 가던 선술집에서 술잔을 부딪쳤다.

주말이 아닌데도 가게 안은 재킷을 벗고 넥타이를 느슨하게 푼 회사원들로 북적거리고 있었다. 망년회 시즌은 이미 시작된 걸지도 모르겠다.

“알바하느라 고생했어.”

첫 번째 맥주잔을 맛있게 기울인 쿠로세가 새삼스레 예의를 차리듯이 말했다.

"벌써 반년이 지났나? 카시마가 들어와 준 덕에 한숨을 돌렸고, 나도 일하기 엄청 편해졌어. 고마워."

"아냐, 나야말로……."

쑥스러워서 제대로 말로 표현하지 못했지만, 하이볼을 마시며 눈 앞의 쿠로세에게 고개를 숙였다.

편집부 알바 덕분에 시야가 넓어졌다는 걸 실감하고 있었다. 쿠로세와 다시 교류할 수 있게 된 것도 기쁘고, 카모노하시 선생님처럼 대단한 사람과도 가까워질 수 있었다.

"그때 같이 하자고 해 줘서 고마웠어."

그런 나를 보며 쿠로세가 눈을 가늘게 떴다.

"……생각해 보면 내가 이렇게 마음 편히 놀러 가자고 말할 수 있는 남자는 카시마뿐이네."

"……쿠지바야시랑은 어때? 그 뒤로 라인은 하고 있어?"

그렇게 물어보자 쿠로세는 생각이 난 것처럼 고개를 끄덕였다.

"아아……, 응."

그리고는 아래쪽 짐 바구니에 놓여 있던 가방에서 스마트폰을 꺼냈다.

"이것 좀 봐."

쿠로세가 보여 준 채팅창 화면에는 맨 처음에 엄청난 숫자의 '메시지 송신을 취소했습니다'가 있었고, '해리 포동통'부터 이모티콘 도배까지의 모든 메시지가 말끔하게 삭제돼 있었다.

그 뒤로 다음과 같은 대화가 이어지고 있었다.

쿠지바야시 하루쿠

죄송합니다.

가족을 제외한 여자 사람과 라인을 하는 게 태어나서 처음이라 어떻게 해야 할지 알 수 없어서 꼴사나운 모습을 보여드렸습니다.

일단 리셋하겠습니다.

그동안의 무례를 용서해 주십시오.

마리아

전혀 마음에 두고 있지 않지만,
일부러 사과해 주셔서 감사합니다.

쿠지바야시 하루쿠

오늘은 어떤 하루를 보내셨나요?

저는 평범했습니다.

편의점에서 산 프렌치토스트가 맛있었습니다.

마리아

저도 평범했습니다.

캠퍼스의 낙엽이 예뻐서 마음이 노곤해졌네요.

쿠지바야시 하루쿠

이쪽 캠퍼스도 낙엽 시즌입니다.
하지만 은행나무가 많아서, 은행 냄새에 매년 두 손 두 발을 다 들고 있습니다.

마리아

은행, 저는 좋아해요.
달걀찜에 들어 있는 것밖에 먹어 본 적이 없지만요.

쿠지바야시 하루쿠

저도 먹는 건 좋아합니다.

어렸을 때부터 가족과 함께 가고 있는 요정*에서는
소금으로 볶아서 내줍니다.
그게 참 맛있습니다.

* 일본에서 요정은 고급 요릿집을 말한다.

요정 같은 곳은 가 본 적이 없어요. 마리아

좋은 환경에서 자라셨네요.

쿠지바야시 하루쿠 요리가 나오는 데 시간이 걸려서,

어린아이에게는 지루했습니다.

느긋하게 대화하고 싶을 때는 괜찮을지도 모르겠네요.

부럽네요. 가 보고 싶어요. 마리아

쿠지바야시 하루쿠 어른이 되면 기회가 생길 거예요.

평소에는 어떤 가게에서 식사를 하시나요?

여자애들이랑 같이 다니니까,

카페나 디저트 가게가 많을지도요. 마리아

쿠지바야시 하루쿠 무엇을 드시나요?

단 건 뭐든지 좋아하지만 마리아

지금은 프렌치토스트를 먹고 싶은 기분이네요.

쿠지바야시 하루쿠 기묘한 우연이네요.

저도 오늘 먹었거든요.

그 얘기를 읽고 나서 먹고 싶어진 거예요. 마리아

대화는 거기서 쿠지바야시가 '깜짝 놀라는 치이캬와' 이모티콘을 보내며 끝이 났다.

"……하하아……."

이 메시지들은 하나같이 아주 낯이 익었다.

쿠지바야시 쪽의 발언은 전부 내 손길이 들어간 것이다.

쿠로세의 메시지를 캡처한 스크린샷과 나에게로 전송돼 온 쿠지바야시의 가상 답장을 내가 첨삭해서 쿠지바야시가 받아들여 주면 그대로 보냈지만, 의견이 갈리면 다시 수정해야 했다. 그런 매우 귀찮은 과정을 거쳐 겨우 그럴듯한 대화가 된 것이다.

—요정에 가고 싶대! 같이 가자고 할 기회잖아!

—젊은 남녀가 갈 만한 곳이 아니야.

—프렌치토스트를 먹고 싶대! 이번이야말로 같이 가자고 할 기회야!

—편의점 것밖에 안 먹어서 가게를 몰라.

—내가 알아볼 테니까! 루나한테 물어봐도 되고!

—분수에 어긋나는 행동은 하고 싶지 않아.

—어째서!

—거절당하는 게 싫어.

—이런 분위기면 거절당할 리가 없다고!

—여자 마음은 알 수 없는 거야.

"아하하……."

텍스트로 주고받았던 속 터지는 대화들을 떠올리자 저도 모르게 쓴웃음이 새어 나왔다.

두 번이나 기회가 있었는데도 만날 약속을 잡지 못했지만, 이 답답하리만큼 느긋한 속도가 쿠지바야시의 페이스일지도 모르겠다.

"……괜찮은 느낌이네."

내가 말하자 쿠로세는 의아한 기색으로 고개를 갸웃거렸다.

"왠지 사람이 바뀐 것 같지. 카시마, 혹시 첨삭해 준 거 아냐?"

"뭐?! 아, 안 했어!"

정곡을 찔려 당황한 나머지 버럭 소리를 지르고 말았지만, 쿠로세는 '그렇겠지.' 하고 웃었다.

"남자들은 그런 건 안 하는 이미지잖아. 여자들은 하지만."

"……서로 첨삭해 줘?"

"그렇다기보다는, 남자가 보낸 메시지를 캡처해서 '이 사람 위험하지 않아?' 하고 보여주거나 하는 식이랄까?"

"헐……."

그게 뭐야, 무서워…… 라고 생각하며 얼굴을 굳히는데 쿠로세가 미소 지었다.

"나는 안 하지만. 친구들이 데이트 어플로 알게 된 남자랑 나눈 대화를 가끔 그룹 채팅방에 공유할 때가 있거든."

"그렇구나……."

쿠지바야시의 대화가 노출되지 않았다니 일단 다행이지만, 역시 여자들은 무섭다. 쿠지바야시가 겁을 내는 것도 무리는 아닐지도 모른다고 생각했다.

"……처음엔 그냥 좋아서 어쩔 줄을 몰랐던 거고, 나쁜 사람은 아냐. 이제는 좀 알겠지?"

"그러게."

쿠로세가 미소 지었다. 나는 그 모습을 보며 일단 한숨을 돌렸다.

"괜찮으면, 다음에도 시간이 될 때마다 라인으로 대화를 나눠 줄 수 있을까?"

"만약에 온다면 말이지. 더는 안 올지도 모르잖아."

"그럴 것 같진 않지만……."

내가 보내라고 할 거니까…… 라고 생각하는데 쿠로세가 생긋 웃었다.

"나, 딱히 용건도 없는데 연락을 할 만한 남자가 전혀 없어서, 애초에 남자친구가 아닌 사람과 연락을 주고받는 게 무슨 의미가 있는 건지도 몰랐는데."

쿠로세는 그렇게 말하며 살며시 미소를 지었다.

"이런 대화라면, 조금 즐거운 것 같아."

◇

그렇게 12월로 접어들었다.

어느 날, 잇치, 닛시와 셋이서 참여 중인 그룹 채팅방에 잇치로부터 '할 얘기가 있다'는 연락이 왔다. 분명 타니키타의 임신에 관한 얘기겠지.

잇치는 오키나와에서의 그 전화 이후로 소식이 없었지만, 루나를 통해 타니키타의 임신이 확정됐다는 얘기는 들었다. 닛시도 아마 야마나에게 들었으리라.

조금 무거워지는 공기를 느끼며, 우리들은 챠모타로 씨 사건 이후

로 오랜만에 셋이서 얼굴을 보기로 했다

일요일 정오, O역에 모인 우리들은 고등학교 때 가끔 가곤 했던, 15분 정도 걸으면 도착하는 중화 패밀리 레스토랑으로 향했다.

날씬해지고 나서는 예전만큼 먹지 않게 된 잇치지만, 오늘의 그는 볶음밥과 라멘을 곱빼기로 주문해 놀랄 만한 기세로 해치웠다.

그렇게 식사를 마치고 음료를 가져온 뒤 테이블에 마주 앉은 나와 닛시에게, 잇치가 심각한 얼굴로 말을 꺼냈다.

"……아카리랑 결혼하게 됐어."

나와 닛시는 옆에서 시선을 마주쳤다.

"어……, 축하해?"

"라고 말하면 되는 거야?"

닛시의 말에 나도 말을 보탠다.

원래라면 축하할 일이겠지만, 그 소식을 보고한 잇치의 얼굴에는 사색이 감돌고 있었기 때문이다.

오늘 잇치는 만난 순간부터 눈에 띄게 초췌해져 있었다. 솔직히 이런 경사스러운 발표를 들을 수 있었다는 게 의외로 여겨질 정도였다.

"……고마워……."

잇치는 꺼질 것 같은 목소리로 말했다.

"……겨, 결혼식 같은…… 건?"

"안 해……, 그럴 상황이 아냐……. 아카리가 입덧을 시작해서…

…."

"그, 그렇구나."

스스로도 태평한 질문이라고는 생각했지만, 뭘 물어봐야 좋을지 알 수 없었다.

"돈은 어떡할 거야? 졸업하려면 아직 1년 넘게 남았잖아?"

닛시가 가혹한 질문을 했다.

"그것 말인데……."

잇치는 입술을 깨물며 말했다.

"……나, 대학을 관뒀어."

""뭐?!""

나와 닛시가 입을 모아 외쳤다.

"아버지한테 엄청 혼이 나서…… 어머니 덕분에 의절하는 것만은 어떻게 피했지만, '이런 괘씸한 녀석은 공부할 자격이 없다. 처자식을 먹여 살리려면 지금 당장 일이나 시작해라.'라고……."

우리들은 할 말을 잃었다.

"지금은 졸업한 대학 선배의 건설 현장에서 일하고 있어."

"……건설 현장에서 무슨 일을 하는데……?"

건설 현장에서 일하는 잇치의 모습이 연상되지 않아서 나는 머뭇거리며 물었다.

"평범한 건설 작업원이야. 소위 막일꾼이라고 말하는 거."

"……."

아니, 저 아싸에 게임 컨트롤러보다 무거운 건 들어 본 적이 없었을 것 같은 잇치가 막일꾼이라고…….

놀람과 동시에 아까 보인 식욕도 납득이 갔다.

"매일 구박받고 계속 움직여야 해서 죽을 지경이야. 집으로 돌아가면 아카리가 입덧 때문에 죽어 있고."

"……아, 벌써 같이 살고 있구나……?"

"그게, 내가 집에서 쫓겨나서."

""뭐?!""

"지금 아카리의 본가에서 가족들과 같이 살고 있어."

""뭐어?!""

충격적인 전개의 연속에 나와 닛시는 리액션을 따라갈 수 없었다.

"그, 그것 참 신경이 쓰이겠네……?"

내 말에 잇치가 고개를 끄덕였다.

"흙투성이가 된 옷까지 장모님이 빨아 주고 계셔서 죄송하긴 해."

"그런 이유로 아카리의 부모님이 우리 부모님한테 화를 내고 있어서, 양가 사이도 안 좋아."

"……그렇구나……."

"애초에 우리 아버지는 중절할 돈을 주겠다고 했거든. 아무 일도 없었던 걸로 치고 내가 대학을 졸업하길 원하셨던 것 같지만, 아카리가 낳겠다고 하니까 그럼 타니키타네 집에서 알아서 하라고 나오시더라. 아들의 인생을 망쳤다고 생각하시는 것 같았어."

"……."

이제는 정말 나와는 전혀 다른 차원의 세상에 존재하는 얘기가 돼버려서 건넬 말도 찾을 수 없었다.

닛시도 그건 마찬가지라 우리들은 그저 묵묵히 잇치의 얘기를 듣고 있을 수밖에 없었다.

"아무튼 집에서도 밖에서도 마음 편히 지낼 수가 없어……. 매일이 지옥이야……."

현재 잇치의 매일은 상상을 초월할 만큼 장절한 듯했다.

"둘 다 피임만큼은 실패하지 않도록 조심해……. 내가 할 말은 그것뿐이야……."

잇치가 쥐어 짜낸 말을 들으며 닛시는 자조하듯이 웃었다.

"실패고 자시고, 나는 아직 그럴 단계조차 아니라고."

"뭐?"

"닛시, 설마 야마나랑 아직……?"

나와 잇치가 지켜보는 가운데, 닛시가 한 차례 고개를 끄덕였다.

그랬구나……. 나도 남 말할 처지는 아니지만, 두 사람이 사귀기 시작한 건 봄인데 이젠 벌써 겨울이니까.

"……캇시. 니코루가 전 남친이랑 어디까지 갔는지 혹시 알고 있어?"

"어?"

"니코루는 전 남친이 첫 남자였잖아? 뭔가 어중간한 느낌으로 사귀고 있었으니까, 제대로 끝까지 간 게 맞나 싶어서……. 캇시 넌 전 남친이랑 친하잖아. 뭐라도 들은 거 없어?"

"그게……."

닛시의 물음에 나는 과거의 기억을 돌아보았다.

"그 말을 듣고 보니, 확실하게는 모르는 것 같아……."

수학여행 때 끝까지 가지 못했다는 얘기는 여자들 방에서 어쩌다 보니 들었지만, 그 뒤에 어떻게 됐는지는 모른다.

처음엔 세키야 씨가 합격할 때까지는 자제하기로 얘기가 됐던 것 같은데, 수험생 기간이 너무 길어져서 결국 어떻게 됐을지.

세키야 씨가 당당히 합격하고 나서 두 사람은 금세 헤어져 버렸으니까.

세키야 씨와 둘이서 대화할 때도 그렇게까지 사적인 얘기는 상대방이 직접 말하지 않는 한 물어보지 않았다.

"……아니, 그래도 세키야 씨니까, 나처럼 몇 년이나 참고 있지는 않았을 거라고 생각해."

그렇게 말하며 지은 미소는 내가 보기에도 처량했다.

""……뭐?""

그러자 닛시와 잇치가 입을 모아 말했다.

"캇시 너, 그렇게 오랫동안 참고 있었어?"

"처음으로 시라카와랑 한 건 언젠데?"

어라? 하고 의아해하다 정신이 들었다.

그러고 보니 이 두 사람한테는 아직 사정을 털어놓지 않았다.

"……아니, 실은 아직……."

굳이 숨길 일도 아닌 것 같아 말했지만, 잇치와 닛시는 내 고백에

경악한 표정을 지었고.

""……아, 아직이라고오오오오오오오오오오오오?!""

두 사람의 절규 같은 목소리가 가게 안에 울려 퍼졌다.

주위에 있던 손님들이 이쪽으로 시선을 보낸다. 통로를 돌아다니던 배달 로봇까지 놀라서 순간 작동을 멈춘 것처럼 보였다.

"헐, 자, 잠깐만, 그렇게 큰 소리로 외치지 말아 줘."

"무, 무슨 일이 있었던 거야, 캇시? 벌써 고2 때부터, 1, 2, 3…… 4년이거든?!"

"믿고 있는 종교에서 혼전 성교를 금하고 있기라도 한 거야?!"

쩔쩔매는 나를, 두 사람이 그게 중요한 게 아니라는 얼굴로 다그쳤다.

"아니, 그게…… 그런 행위를 할 기회는 몇 번인가 있었는데…… 전부 놓쳐 버렸다고 할까……."

말하는 사이 최근에 느꼈던 고통이 떠올라 애달픈 기분이 들었다.

하지만 두 사람은 추궁의 손길을 늦추지 않았다.

"상대는 무려 시라카와라고?! 4년이나 사귀고 있으면서 안 한다는 게 말이 돼?!"

"뭘 점잔을 빼고 있는 거야?! 시라카와가 이미 여러 남자랑 경험해 봤다는 것도 알겠다, 얼른 하면 됐잖아?!"

아니, 말씀하시는 뜻은 알겠습니다만……. 나는 목을 움츠렸다.

"……그래, 나는 겁쟁이야……."

"내 말이! 지금 당장 만나러 가서 해 버리라고!"

"무슨 생각을 하고 있는 거야, 정말! 그러고도 그게 달려 있다고 말할 수 있어?!"

"졸업해! 오늘을 졸업식 날로 삼으라고!"

"겁쟁이면 겁쟁이답게, '하게 해 주세요.' 하고 납죽 엎드려서 부탁해!"

"……내, 내 얘기는 이제 됐으니까!"

여기서 더 말했다간 슬퍼질 것 같았기에, 반쯤 억지로 화제를 종료시켰다.

"지금은 닛시 얘기가 먼저잖아?! ……그러니까 일반적으로 생각했을 때 야마나와 세키야 씨는 그런 관계를 가지지 않았을까?"

강제로 이야기를 원래대로 되돌리자, 잇치는 여전히 내 얘기를 하고 싶은 기색이었지만 닛시는 시무룩한 표정을 지었다.

"……뭐, 그렇겠지."

닛시가 고개를 숙이며 심호흡을 하듯이 한숨을 쉰다.

"하아……. 역시 나라서 그런가……. 나한테는 그럴 마음이 들지 않는다는 뜻이려나……."

"그러고 보니 잇치는 어쩌다 타니키타랑 그런 관계가 된 거야?"

닛시가 풀이 죽어 버린 데다 또 얘기가 내 쪽으로 튀는 게 싫어서 나는 잇치로 화제를 돌렸다.

잇치에게라면 이런 질문을 해도 괜찮을 거라고 생각했다. 이제 곧 아버지가 되는 만큼 그쪽 방면으로 충실하게 살고 있다는 건 틀림없는 사실이니까.

"어?"

잇치는 한 차례 당황했지만, 당시의 기억을 떠올렸는지 이내 칠칠치 못한 표정을 지었다.

"아니 그게, 아카리의 기세가 굉장해서……."

미처 억누르지 못한 히죽거림과 함께 잇치는 고백했다.

"사귀기로 한 그날, 러브호텔에서……."

""뭐~?!""

그 말은.

챠모타로 씨 사건이 있었던 날 길바닥에서 했던 그 키스 뒤에 두 사람은 이미 사랑을 나누고 있었다는 뜻인가…….

"그게 뭐야! 믿을 수가 없어! 차라리 꽃뱀한테 당한 거였으면 좋겠어! 죽으면 좋을 텐데!"

닛시가 맹렬하게 흥분했다.

"하지만 말이지, 그 결과가 이거라고……."

잇치는 그렇게 말하며 정신을 차린 것처럼 핼쑥한 표정을 지었다.

"너희들은 축복받은 거다……."

진심으로 그렇게 생각하는 것처럼 잇치가 감정이 실린 목소리를 토해냈다.

"내 인생은 망했어……, 이미 지옥불 안이라고."

그렇게 말하며 얼굴을 감싸는 잇치의 모습에 우리가 재차 할 말을 잃고 있는데.

"……응?"

잇치가 자신의 바지 주머니에서 스마트폰을 꺼내더니 잠깐 화면을 주시했다.

그리고는 고개를 들며 우리에게 말했다.

"……둘 다 미안. 난 먼저 가 볼게."

"무슨 일이라도 생겼어?"

"아카리의 몸 상태가 안 좋은가 봐. 쉬는 날이지만 병원에 전화했더니 '걱정되면 일단 진찰해 줄 테니까 오라'는 말을 들은 것 같아서, 지금부터 데리고 가야 하게 생겼어."

"헐, 진짜냐……."

"고생이 많네……, 몸조리 잘해."

"고마워. ……그럼 이만."

잇치는 이과답게 자기 몫의 결제 비용을 암산으로 계산해 돈을 놓고 갔고, 남겨진 나와 닛시는 한참을 멍하니 있었다.

"……우리도 나갈까."

"그러게."

어쩐지 챠모타로 씨 사건 때가 생각났다.

그때는 설마 잇치의 상황이 이렇게 될 거라고는 꿈에도 모르고 있었지만 말이다.

정오가 조금 지난 시각, 우리들은 역으로 향하는 길을 어슬렁거리며 걷고 있었다. 왼편으로 선로와 차도를 가로막은 콘크리트 벽이 이어지는 것을 보며 널찍한 보행자 도로를 닛시와 함께 말없이 걸었다. 보행자 도로가 넓어서인지 자전거가 이따금 바로 옆을 지나가서, 위험하고 거슬린다고 생각했다.

그때, 닛시가 불쑥 입을 열었다.

"……나, 니코루한테 말하려고 생각 중이야."

"어?"

"이제 곧 크리스마스잖아? 이브에 만나면 '오늘 밤은 함께 있고 싶다'고 얘기해 볼 거야."

닛시는 내 쪽을 보지 않은 채 바지 주머니에 양손을 찔러 넣고 걸으며 말했다.

"우린, 진짜로 웃음이 날 만큼 그런 분위기가 아니라서 말이야……. 친구였을 때랑 아무것도 달라진 게 없어. 그래도 특별한 날이니까, 그 정도는 말해도 되겠지? 나는 니코루의 남자친구니까."

닛시의 말도 이해가 갔기에 고개를 끄덕였다.

"응. 그렇겠지."

"나도 알아. 니코루는 분명 내가 그런 말을 하길 원하지 않을 거야. 우리들 사이의 분위기를 계속 친구로 유지하려고 하는 건 니코루 쪽이니까."

닛시는 그렇게 말하며 입술을 깨물었다.

"……하지만 나는 이제…… 그런 상태가 고통스러워. 그러니까, 그래서 만약 니코루가 나를 거절한다면…… 나는 그냥, 친구도 아는 사람도 아닌…… 생판 남으로 돌아간대도 상관없어."

그 옆얼굴의 눈동자에는 결연한 빛이 서려 있었다.

"……결심했구나."

"결심했지. 그도 그럴 게 우린 사귀고 있으니까."

그 말에, 나는 왠지 퍼뜩 정신이 들었다.

"계속 나만 참는 건 이상하잖아?"

확실히 그렇다.

비록 결혼할 때까지는 하고 싶지 않다는 게 루나의 희망이었다고 해도, 나는 그렇지 않다는 뜻을 전달하는 게 잘못은 아닐 터다.

―행복이란 건 어느 한쪽이 노력해서 만드는 게 아니라…… 두 사람이 서로 양보함으로써 생겨나는 거라고 생각하니까.

루나의 언니가 했던 말을 떠올리며 강하게 그렇게 생각했다.

"……잘되면 좋겠네."

내가 그렇게 말하자 닛시는 비로소 내 쪽을 보며 웃었다.

"너도."

내 상황을 생각하고 있었다는 걸 간파당한 것 같아 창피해져서, 나는 말없이 웃음에 웃음으로 대답했다.

닛시와 헤어져 K역에서 하차했을 때 스마트폰이 진동했다.

확인하자 카모노하시 선생님에게 온 전화였다.

"네, 카시마입니다."

개찰구를 나선 참이었기에 조용한 역 앞 공원 쪽으로 걸어가며 전화를 받았다.

“잘 지냈어?”

카모노하시 선생님은 언제나처럼 쾌활한 목소리였다.

“그 뒤로 쿠로세는 어때? 사토 씨가 막 가루를 던지고 그러는 건 아니지?”

“그건 이제 염려하지 않으셔도 될 거예요. 그때는 정말로 감사했습니다.”

“뭐~, 그건 그것대로 즐거웠으니까 됐어.”

대화는 거기서 잠시 중단됐다. 나는 국민 만화가 선생님과 전화로 무슨 얘기를 해야 좋을지 알 수 없어 몰래 식은땀을 흘렸다.

그런데…….

카모노하시 선생님이 친한 사람을 잘 챙길 것 같은 이미지인 건 맞지만, 쿠로세의 안부를 물으러 굳이 나한테 전화를 한다고?

그렇게 생각하는데 전화기 너머에서 선생님이 ‘저기 말이야’ 하고 말을 꺼냈다.

“후지나미가 이이다바시 서점을 그만둔다는 것 같던데, 혹시 들은 얘기 있어?”

“네?!”

놀라서 저도 모르게 입에서 나오는 대로 소리를 지르고 말았다. 공원의 땅 위에 앉아 있던 비둘기들이 내 목소리에 하늘로 날아올랐다.

“그게 무슨 말씀이세요?”

“아니, 아까 후지나미가 난데없이 ‘올해까지만 하고 담당을 그만

두게 됐다'는 연락을 보내서, 이번에는 어느 부서로 가느냐고 물어 봤더니 어째 퇴사를 암시하는 것 같은 말을 하더라고. '마지막으로 식사나 하자'면서 만날 날을 정했으니까 거기서 말할 생각일지도 모르지만, 왠지 무섭잖아! 난 안 그래도 사람을 만나는 걸 무서워하는데. 얼른 가르쳐 줬으면 좋겠어. 혹시 어떻게 된 건지 몰라?"

"그게…… 전혀 몰라요……."

나는 망연히 대답할 수밖에 없었다. '일이 즐겁다', '충분히 만족스럽다'고 말했던 후지나미 씨였기에, 그건 청천벽력 같은 소식이었다.

"후지나미는 출세도 빠르고 일 욕심이 있는 사람이라고 생각했는데 갑자기 그만둔다고 하니까 말이야. 뭔가 문제나 불상사가 생긴 건지 염려될 수밖에 없잖아? 그런 일이 생긴 것만 아니면 전혀 상관없지만."

"……그런 일은 아닐 거라고 생각해요. 정말 아무 말도 못 들었고요."

그런 사건이 생겨서 편집부 내에서 화제가 됐다면 일개 알바생인 내 귀에도 분명 들어왔을 거라고 생각한다. 내가 몰랐다고 해도 쿠로세는 다른 편집자들과도 친분을 맺고 있으니 나한테도 가르쳐 줬을 터였다.

"그럼 다행이지만…… 그래도 아쉽네. 후지나미하고는 조만간 같이 일하게 될지도 모르겠다고 생각하고 있었는데."

그렇게 말하는 카모노하시 선생님의 목소리는 정말로 아쉬워하는 듯한 기색을 띠고 있었다. 요즘은 만화를 그리고 있지 않은 듯하지만, 후지나미 씨하고라면 일을 하고 싶다고 진심으로 생각하고 있었던 것일지도 모르겠다.

그런 후지나미 씨에게 존경스러움을 느낌과 동시에, 일전에 답변을 듣지 못했던 의문이 다시 고개를 들기 시작했다. 라이온 씨의 작사는 여전히 난항을 겪고 있었다.

"……저기, 카모노하시 선생님."

"응?"

"이런 상황에서 여쭤보기 좀 그렇긴 한데요……, 편집자에게 요구되는 스킬은 뭐가 있을까요?"

"엥? 몰라! 그런 건 편집자한테 물어보라고!"

내가 용기 내 던진 질문을, 카모노하시 선생님은 호쾌하게 일축했다.

"아니, 그게, 만화가이신 선생님의 시점에서라도 상관없으니까요……."

라이온 씨의 작사 건으로 현재 정말로 곤란한 상황이었기에, 나치고는 드물게도 끈질기게 붙들고 늘어졌다.

카모노하시 선생님이 '으음' 하고 신음했다.

"그것도 어려운데. 만화가들은 개성이 강하니까, 다들 성격도 다르고 그리는 것도 천차만별이잖아? 만약에 하드 보일드 장르를 그리는 만화가라면 총기류에 해박한 담당이 좋겠다고 생각하겠지?"

그런 대답을 듣고 싶었던 건 아니라고 생각하는데, 선생님이 '다만 말이야' 하고 말을 덧붙였다.

"담당하는 작가한테는 가급적 호감을 가져 주는 게 좋아. 이쪽도 호감을 가지려고 노력하고 있으니까."

"담당 편집자한테 말인가요?"

"그래."

공원 벤치에 도착했기에 나는 벤치에 앉았다. 넓은 계단 아래에는 동그란 잔디 광장이 펼쳐져 있어서, 아이들이 기운차게 뛰놀고 있었다.

"호감이 있고 신뢰할 수 있는 녀석이 하는 말이면 실컷 욕을 먹어도 제대로 들어 보자고 마음먹을 수 있거든. 나도 젊었을 때는 담당한테 별별 소리를 다 듣곤 했지만, 그 말에 작품과 나에 대한 애정이 있다고 느껴져서 받아들일 수 있었어. 그게 없으면 웹상에서 온갖 욕설을 퍼부으며 공격하는 녀석들이랑 똑같지 않겠어? 뭐, 똑같지는 않나? 으하하."

카모노하시 선생님은 혼자 웃었다.

"'최고의 담당 편집자는 아내'라는 만화가도 몇 명이나 알고 있어. 우리가 최종적으로 작품을 보여주는 상대는 평론가가 아니라 만화나 책을 좋아하는 평범한 사람들이니까, 애초에 그걸로 충분한 거지. 그러니까 내용에 대해서는 일반 독자 대표로서 자신의 소박한 감상을 말하면 돼. 그걸 상대가 솔직하게 받아들일 수 있도록 신뢰 관계를 무엇보다 소중히 여겨야겠지. 어쨌든 작가를 담당하게 된다면 일단은 과거 작품을 읽거나 잡담을 통해 경력이나 사적인 일에 관해 듣거나 하면서 그 사람을 알아가는 것부터 시작하면 되지 않을까? 알면 호감을 가질 수 있잖아. 반대로 싫어지는 일도 있을 수는 있겠지만, 그런 경우에는 어쩔 수 없지, 일이라고 생각하고 선을 그어 버려! 으하하!"

그 말을 듣자 번뜩 깨달음이 스쳤다.

라이온 씨에게 적절한 조언을 해 주지 못하는 원인이 방금 들은 말 속에 있는 것 같다는 생각이 들었다.

나는 쿠지바야시에게도 쿠로세의 라인 대응 관련으로 조언을 해 주고 있다.

내 입으로 말하긴 뭐하지만, 그쪽은 현재 의외로 잘되고 있다고 생각한다.

쿠지바야시와는 3년 가까이 친구로 지내 와서 그의 장점을 잘 알고 있었기에 다소 종잡을 수 없는 얘기를 들어도 그의 진의를 헤아리려고 끈기를 가지고 애쓸 수 있었다. 그에게도 그런 노력이 전해졌기에 양보해야 하는 곳에서는 내 말을 들어 준 것이리라.

라이온 씨에게 해 줄 조언이 아무것도 떠오르지 않는 건, 내가 그에 대해 잘 모르기 때문이라는 생각이 들었다.

◇

그날 밤, 나는 노트북 화면 속의 라이온 씨를 마주 보았다.

"작사는 어떻게, 진전이 있으세요?"

새삼스레 물어보자 라이온 씨는 난처한 얼굴을 했다.

"그러게요……. 화상 회의 직후에는 의욕이 생겼는데, 낮에 일을 하다 보니 밤에는 자꾸 잠이 와서……."

"아하하……."

뻔뻔스럽기 그지없는 한심한 발언에 웃을 수밖에 없었다.

이 사람도 쿠지바야시만큼이나 일일이 챙겨주지 않으면 안 되는 타입인 걸지도 모르겠다.

……그러니 그 전에 먼저.

"라이온 씨는 언제부터 싱어송라이터를 목표로 하셨나요?"

그런 질문부터 들어가자, 라이온 씨가 '네?' 하고 눈을 휘둥그레 떴다.

그러더니 '그러게요…….'라고 말하며 허공을 쳐다보았다.

"……고등학교를 졸업하고, 어머니가 재혼하시고, 마음 편히 돌아갈 수 있는 집도 사라져서……. 뭘 해야 좋을지 알 수 없었을 때 생각난 게, 싱어송라이터였어요."

그렇게 말하고는 감회에 젖은 듯이 눈을 가늘게 떴다.

"어릴 적에…… 공부도 운동도, 아무것도 잘하는 게 없던 저를, 노래하고 있을 때만큼은, 어머니가 칭찬해 주셨어요. 그래서 노래가 좋아졌죠."

당시의 기억이 생각나서인지 라이온 씨가 후훗 하고 웃었다.

"집안일을 거들면서 눈에 들어오는 것들을 그대로 입 밖으로 꺼내 만든 엉터리 가사랑, 어디선가 들어본 것 같은 멜로디로, '설거지 노래'나 '빨래 노래' 같은 온갖 노래들을 불렀는데…… 어머니가 그걸 웃으면서 들어 줘서 기뻤어요."

그렇게 얘기하던 얼굴에 불현듯 그늘이 드리웠다.

"……그래서 노래를 부르면, 또 누군가를 기쁘게 해 줄 수 있지 않을까 싶어서, 싱어송라이터가 되기를 꿈꿨는데…… 그 때문에 류토 씨와 다른 분들에게 폐를 끼치고 있어서…… 정말이지 면목이 없네요."

라이온 씨는 그렇게 말하며 화면 너머로 고개를 숙였다.

"이렇게 남에게 신세를 지지 않으면, 좋아하는 사람에게 선물할 노래조차 완성시킬 수 없다니…… 저는 역시, 재능이 없나 봐요."

"그렇지는……. 제가 보기엔 스스로 작사 작곡을 할 수 있다는 것만으로도 대단한데요."

내 위로에 라이온 씨는 쓴웃음을 지으며 고개를 가로저었다.

"……음반을 낸 적도 있는 길거리 싱어송라이터 선배가 그랬어요. '평생 노래로 먹고 살 수 있는 잘나가는 녀석들도 만나 봤는데, 다들 평범한 인간이 아냐. 춤이 절로 나올 만큼 기쁠 때도, 죽을 것처럼 힘들 때도, 자신의 컨디션과 상관없이 매 순간 몸속에서 말과 선율이 넘쳐흘러서 노래로 만들어 토해내지 않으면 머리가 가득 차 죽어 버리는 괴물들이지. 녀석들은 태어날 때부터 그런 인간이야.' 라고요."

담담히 얘기하고 나서, 라이온 씨는 중얼거리듯이 말했다.

"……저는, 그런 사람이 아니에요."

"그렇지는……."

"그래도, 이런 평범한 제 노래를…… 키티는 예전의 어머니처럼 '굉장해, 잘한다!'라고 칭찬해 줬고…… 그게 기뻐서…… 좀처럼 포기할 수 없었어요……."

기쁘면서도 슬픈 듯이 라이온 씨가 말을 이었다.

"머리 한구석에는 계속, 언젠가 외삼촌 가게에서 일하려는 생각이 있었어요. 어머니도 그러라고 조리사 학교를 추천해 주셨을 테고요……. 하지만 계기가 없어서……. 단념하지 못했던 것도 키티가 응원해 줬기 때문이지만, 현실을 마주 볼 계기를 준 것도 키티라는 존재예요."

라이온 씨는 그렇게 말한 뒤 입을 다물었다가 마음을 돌린 것처럼 다시 입을 열었다.

"……그래서 마지막으로 만들 이 노래는, 다른 사람에게는 명곡이 아니라도…… 키티만큼은 진심으로 기뻐해 줄 만한 노래로 만들고 싶은데…… 그렇게 생각하면 할수록 '좋은 가사를 써야 한다'는 압박감이 커져서, 괜찮은 문장이 떠오르지 않아서……."

나는 라이온 씨의 얘기를 듣다가 불현듯 생각했다.

문제가 그거라면 그에게 도움을 줄 수 있을지도 모른다는 생각이 들었던 것이다.

그런 광명을 찾아낸 나와는 대조적으로 라이온 씨의 표정은 점점 어두워졌다.

"하지만 이렇게 생각이 안 나는 걸 보면, 더는 무리일지도 모르겠네요. 포기하고, 꼴사나워도, 그냥 평범하게 키티한테 사과하러 가는 편이 나을지도…….”

“그런 소리 하지 마세요. 포기하지 말고 다시 한 번 도전해 봐요.”

화면 너머의 그를 격려하듯 나는 마이크를 향해 힘차게 말했다.

“저한테 키티 씨와 겪었던 추억들을 알려 주실 순 없을까요?”

“네?”

라이온 씨가 어리둥절했다.

“방금 깨달았어요. 이 노래에 부족한 건 아마도 구체성이라고요. 어디서 들어 본 듯한 사랑 노래가 아니라, 이 세상에서 유일하게 키티 씨에게만 통할 노래…… 그걸 만들고 싶다는 라이온 씨의 바람을 이루려면, 추상적인 말보다는 키티 씨와 경험했던 일화들을 적어야 하지 않을까요.”

역시 얘기를 들어 보길 잘했다고 생각했다. 나는 이 아이디어를 열정적으로 설명했다.

“두 분의 추억을 몇 개 골라서, 그걸 가사로 만들어 보죠. 어떤 에피소드를 선택하고 어떻게 구성할지는 저도 같이 의논해 드릴 테니까요.”

“갑자기 그렇게 말씀하시니…… 어렵네요…….”

“어렵지 않아요.”

혼란스러운 얼굴을 하고 있는 라이온 씨에게 나는 말했다.

“방금도 말씀해 주셨잖아요. 라이온 씨가 어릴 적에 어머니가 기뻐해 줬던 노래는…… 눈에 들어온 걸 그대로 입 밖으로 꺼내 만든 가사였죠?"

"아……."

"전에 그러셨죠. 키티 씨와 처음 만났던 날 '특이한 이름 얘기'로 열을 올렸다고요. 그런 일화들을 좀 더 얘기해 주세요. 그걸 가사로 만들어 봐요. 같이요."

내 말에 라이온 씨는 한껏 고개를 끄덕였다.

"……알았어요. 잘 부탁드릴게요."

그날부터 라이온 씨와의 작사 작업이 시작되었다.

그렇게 라이온 씨의 '자칭 싱어송라이터'로서의 마지막 노래는, 크리스마스이브 전날에 완성되었다.

제4.5장 아카리와 마리메로의 오프라인 토크

도내의 패션몰 안에 있는 카페에서 오늘도 아카리와 마리메로가 마주 앉아 차를 마시고 있었다.

아카리는 창백한 얼굴을 한 채 손에 쥔 핸드타월을 입에 댔다.

"……우욱……!"

"아카리, 괜찮아?"

마리메로가 염려하듯이 그녀의 어깨로 손을 뻗었다.

"이렇게 몸이 안 좋으면 약속을 미뤄도 됐는데……."

그녀의 말에 아카리는 고개를 가로저었다.

"괜찮아. 내가 마리메로를 만나고 싶었단 말이야……."

핸드타월을 입에서 떼며 그렇게 말했다.

"입덧이 심해서 일도 이렇게 빨리 그만두게 됐는걸……. 매일 집에서 웩웩거리고 있어 봤자 기분까지 끔찍해질 뿐이니까."

그런 그녀를 마리메로가 한층 염려스러운 기색으로 바라보았다.

"괜찮다면 다행이지만……."

"괜찮아. 난 배가 고파지면 구역질이 나는 타입이니까, 속은 계속 메스껍지만 먹고만 있으면 구토 알못처럼 행세할 수 있어."

"처음 들었어, 그런 말."

마리메로가 난처하게 웃었다.

아카리도 억지로 미소를 지어 보인다.

"……며칠 전에 관공서에 가서 혼인 신고서를 냈어. 좋은 부부의 날(11월 22일.)에."

"축하해."

마리메로가 흐뭇한 기색으로 축복했다.

하지만 아카리는 쓴웃음을 지었다.

"솔직히 헛웃음만 나오지만 말이야. 유스케는 매일 일 때문에 피곤해서 집에 오면 잠만 자고 나는 하루 종일 축 늘어져 있어서, 뭐가 좋은 부부인 건지 모르겠어."

"반지는?"

"아직~. 조만간 사자고 얘기하긴 했지만, 유스케가 아직 빈털터리라 결혼반지는 꿈도 못 꾸고 있어. 저쪽 부모님에게는 전혀 기댈 수 없는 상태니까. 지금은 일단 출산에 드는 돈을 확보하느라 필사적이야!"

"그렇구나."

마리메로는 그렇게 말하며 살짝 고개를 숙였다.

"그래도 대단하다……. 이젠 아내이자 엄마구나, 아카리."

"전혀 실감은 안 나지만 말이지. 배가 불러오고 입덧으로 속이 메스꺼운 건 사실이니까, 그냥 닥치는 대로 적응하는 수밖에 없지 싶어!"

아카리는 계속 쓴웃음을 지으며 자신의 배를 어루만졌다. 그곳은 아직 눈에 띄게 커지지는 않았지만, 과식을 하고 난 뒤처럼 부풀어 있었다.

그러다 불현듯 눈앞의 친구를 바라본다. 일시적으로 기분이 좋아지는 것 같았다.

"마리메로는? 지난번에 얘기했던 호오 보이랑은 그 뒤로 아무 일도 없었어?"

"아……."

마리메로는 그제야 생각이 났다는 듯이 중얼거렸다.

"라인을 주고받고 있어. 며칠 간격으로."

"헐, 진짜?! 그 상태에서 어떤 기적이 일어난 거야?!"

"볼래?"

그렇게 말하며 테이블 위에 놓여 있던 스마트폰을 들어 아카리 쪽으로 내민다.

"볼래 볼래! ……헐, 제법 멀쩡하게 대화할 수 있잖아. 저번에 보여줬을 때는 진짜로 위험했었는데."

"그치."

마리메로는 쓴웃음을 지으며 돌려받은 스마트폰으로 시선을 떨구었다.

"……나, 지금 이 메시지들은 카시마가 조언해 주고 있을 거라는 생각이 들어."

"엥, 진짜? 어째서?"

"잘 설명할 수는 없지만…… 왠지 조금, 카시마 같은 느낌이 들어.”

의아한 얼굴의 아카리에게 마리메로가 그렇게 말했다.

“하지만 카시마가 아닌 부분도 제법 있어서…….”

채팅 화면의 문구를 눈으로 좇으며 마리메로는 자연스레 미소를 지었다.

“그 부분이 분명 이 사람의 진정한 모습이겠구나 싶어. ……그 부분도 딱히 싫지는 않으니까 계속하고 있어.”

그런 마리메로에게 아카리가 ‘엥~’ 하고 의문을 표했다.

“카시마가 아무리 남을 잘 보살필 것 같은 성격이라고는 해도, 설마 동성 친구한테 일일이 채팅 조언까지 해 주겠어? 대화를 한두 번만 하고 마는 것도 아니잖아.”

그 말에 마리메로는 고개를 숙였다.

“그렇지. 그래서 어쩌면 카시마랑은 상관없을지도 모르지만…….”

지나치게 생각이 많은 스스로에게 자조와도 닮은 쓴웃음을 지으며 살며시 말을 잇는다.

“카시마가 어째서 이 사람과 사이가 좋은지는 조금 알 것 같은 기분이 들어.”

그리고는 부드럽게 미소 지으며 혼잣말처럼 말했다.

“나도, 싫지 않아. 이 사람이.”

제 5 장

크리스마스이브 날.

루나와 요코스카추오역 앞 광장에서 때를 기다리며 고2의 크리스마스이브를 떠올렸다.

"언니가 기뻐해 주려나……."

옆에서 불안해하는 루나의 손을 잡고 나는 고개를 끄덕였다.

"괜찮을 거야."

"류토……."

내 손을, 루나가 세게 맞잡는다.

"고마워. 그리고 미안해. ……나, 매번 가족 문제에 류토를 끌어들이고 있네. ……고2 때도."

"나도 지금 그때 일을 떠올리고 있었어."

일요일과 겹친 크리스마스이브라 연말의 역 앞은 사람들로 북적거리고 있었다.

날이 유난히 춥지는 않지만 저녁이 되자 겨울다운 싸늘함이 느껴지는지, 사람들은 몸을 움츠린 채 길을 오가고 있다. 계속 멈춰 서 있던 나와 루나는 서로의 체온을 구하듯 바짝 몸을 붙이고 있었다.

오후 5시가 지나자 해가 떨어지고 주위가 어두워지며 일루미네이션이 켜졌다.

라이온 씨가 말했던 대로 역 앞 광장에는 건물 2, 3층 정도 높이의 나무 한 그루가 있었고, 줄기와 가지가 파란 조명으로 크리스마스트리처럼 꾸며져 있었다.

그 근처에서 라이온 씨의 거리 공연이 시작됐다.

"들어 주세요, '크리스마스이브'."

시작은 유명한 크리스마스 노래.

길을 가는 사람들 대부분이 무시하고 지나갔지만, 시즌에 맞춘 선곡이라 사람을 기다리는 김에 걸음을 멈추고 귀를 기울여 주는 사람도 한두 명은 있었다.

경찰에게 거리 사용 허가를 받은 공연이었지만, 달랑 기타만 든 채 노래하고 있을 뿐인 라이온 씨는 통행에 방해가 될 만큼 자리를 차지하고 있지 않았다.

옆에 선 루나가 아까부터 계속 불안한 표정을 짓고 있다. 그 모습을 보자 그녀도 성숙해졌다는 실감이 들었다.

고2의 크리스마스이브. 부모님의 재혼을 바라며 식사 모임을 계획했던 루나는 아버지가 미스즈 씨를 데려온 것에 큰 충격을 받고 열까지 내며 자리에 눕고 말았다.

그날 가게에서 미스즈 씨를 보기 전까지 루나의 표정에는 그늘 한 점 보이지 않았다. 계획이 성공할 것을 철석같이 믿고 있었던 것이다.

실패의 경험을 거친 루나는 자신의 마음이 늘 통하지는 않는다는 것도 알고 있었다.

그래도 통하기를 바라며 기도하고 있다. 차가운 손으로 내 손을 꼭 잡고서.

"……감사했습니다. 마지막 곡은 제가 가장 좋아하는 사람을 위해 쓴 곡입니다."

나는 광장에 우글거리는 사람들에게로 시선을 보냈다. 그리고는 우리들에게서 몇 미터 떨어진 곳에 있는 쿠로세와 그 옆에 서 있는 루나의 언니를 발견했다.

쿠로세에게 기대듯이 선 루나의 언니는 믿을 수 없다는 듯한 표정으로 라이온 씨를 보고 있었다.

"들어 주세요. ……'아기 고양이와 라이온'."

기타가 새기는 시작 부분의 멜로디를 들으며, 이것을 듣는 게 벌써 몇십 번째일지 생각했다.

오로지 이 순간만을 위해 탄생한 이 노래에 라이온 씨와 내가 요 이 주일 동안 얼마나 심혈을 쏟았던가.

다른 사람에게는 평범하고 흔해 빠진 러브송이라도 세상에 단 한 사람, 루나의 언니의 마음에만큼은 가닿았으면 좋겠다.

나는 그렇게 기도하며, 이미 질릴 만큼 들었던 그 멜로디에 귀를 기울였다.

처음으로 만났던 날을 기억하고 있어

너는 사과 3개만 한 체중의 아기 고양이

나는 마음 여린 백수의 왕

사람에게 붙일 이름이 아니라고 웃으며
이 거리에서 우연히 만나게 된 기적에 감사했어

처음으로 싸웠던 날을 기억하고 있어
네가 소중히 아끼던 우산
내가 그친 비에 깜빡 잃어버렸지
대신할 우산을 사 왔지만
너는 '그게 아니면 싫다'며 울었어
지금은 이해해 그 마음
그때는 미안했어
나도 네가 아니면 싫으니까

꽃무늬 머그 컵
실버 키링
컨버스의 스니커즈
세트로 맞춘 물건이 늘어날수록
내 마음도 너로 가득해졌어
'기왕이면 세트가 낫겠지'라며
두 개씩 사 주었던 네 웃는 얼굴이
눈을 감으면 언제나 떠올라

하지만 나는 약해서

변하지 못하는 나 자신에게 화가 나서

변하고 싶다는 강한 바람에

너의 웃는 얼굴에서 등을 돌렸어

하지만

역시—

떨어져 있어도 어쩔 줄 모를 만큼

나는 너를 좋아해

너를 지키기 위해 태어났다는

그런 말은 아직 할 수 없는 나지만

질리도록 옆에 있어 줄 자신이 있으니까

아기 고양이처럼 잠든 그 얼굴을

나약한 라이온의 마음으로 지키게 해 줘

앞으로는 영원히

너를 놓지 않을 테니까

노래가 끝나고 드문드문 박수 소리가 들려왔다.

노래 중간에 옆에 서 있던 루나를 보자 그녀는 눈물을 흘리고 있었다.

쿠로세에게 기대 서 있던 루나의 언니도 두 손으로 얼굴을 감싼 채 울고 있었다.

그런 그녀를 향해 라이온 씨가 말했다.

"키티."

땅에 놓여 있던 기타 케이스에 기타를 넣고 라이온 씨가 그녀에게로 걸어갔다.

"갑자기 나가서 미안. 그 뒤에 내가, 외삼촌 가게에서 세 달 동안 일해서…… 받은 돈으로, 이걸 샀어."

라이온 씨는 그렇게 말하고는 코트 주머니에서 작은 상자를 꺼내 루나의 언니 앞에 무릎을 꿇고 뚜껑을 열었다.

"저와 결혼해 주세요."

우리가 있는 거리에서는 잘 보이지 않았지만, 안에는 반지가 들어 있을 터였다.

난데없이 시작된 드라마틱한 전개에 공연 때보다 많은 사람들이 걸음을 멈추고 두 사람을 지켜보았다.

루나의 언니는 흘러나오는 눈물을 닦을 생각도 못 한 채 라이온 씨를 바라보며.

"……네……!"

힘차게, 한껏 고개를 끄덕였다.

◇

그 뒤 우리들…… 루나의 언니와 라이온 씨, 쿠로세, 루나와 나는 언니의 집으로 자리를 옮겼다.

좁은 원룸의 TV 장식장 앞에 놓인 테이블에서, 루나의 언니는 라이온 씨에게 세 달 간의 마음을 전하고 있었다.

"라이가 고민하고 있었던 걸, 함께 있으면서도 전혀 몰랐어……. 전부 말해 줬으면 좋았을 텐데……. 내가 얼마나 슬펐다고……."

"……미안해."

라이온 씨는 눈썹을 찡그리며 겸연쩍은 듯이 입을 열었다.

"키티가 SNS를 보면서 '누구누구가 결혼한대.' 같은 말을 하는 게, 어느샌가 전부 나를 향한 압박으로 들려와서……. 키티는 나보다 연상이고 다정하고, 나를 먹여 살려 주고, 자질구레한 일들도 다 대신해 주니까…… 이대로 여기에 있다간 아무것도 못 하는 사람이 되겠다는 생각이 들어서, 나갈 수밖에 없다고 생각했어."

그 말을 들으며 루나의 언니는 흐느껴 울고 있었다.

"그래도, 이제부터는, 계속 함께할 거니까."

그 왼손 약지에는 라이온 씨가 아까 선물했던 반지가 반짝이고 있었다.

"정말……? 정말로 진짜지?"

"정말로 진짜야."

라이온 씨가 힘주어 말하자 루나의 언니가 겨우 눈물을 그치더니 얼굴에 가득 희색을 띠었다.

"라이, 너무 좋아!"

"왁!"

루나의 언니에게 끌어안겨 말랑말랑한 가슴에 꽉 눌린 라이온 씨는 우리들의 눈치를 보며 허둥거렸다.

"키, 키티?! 다들 보고 있으니까, 조금……."

"싫어! 그만두지 않을 거야! 혼인 신고는 언제 하지?!"

루나의 언니는 그렇게 말하며 라이온 씨에게서 몸을 떼고는 초롱초롱하게 빛나는 눈동자로 그를 바라보았다.

"어?"

당황하는 라이온 씨는 아랑곳없이 루나의 언니가 짝 하고 두 손을 마주쳤다.

"그렇지! 당장 우리 아빠랑 엄마한테 인사를 하러 가야겠어!"

"엥, 지금?!"

그 말에 놀라면서 한마디 거든 사람은 루나였다.

"응! 이런 건 빠를수록 좋다잖아!"

"지금 갔다간 못 돌아올지도 모르는데?!"

"정말, 그때는 아무 방이나 잡으면 되지! 마침 오늘은 이브잖아?"

"키, 키티, 진심이야?! 내 옷차림이 이런데?!"

라이온 씨도 평소에 하던 대로 편하게 입고 온 자신의 복장을 돌아보며 초조해하고 있었다.

"괜찮아, 괜찮아! 우리 부모님인걸? 그런 걸 신경 쓸 리가 없잖아!"

루나의 언니의 패셔너블한 차림새를 보면 그 말에는 이상한 설득력이 있었다.

그리하여 루나의 언니와 라이온 씨는 급하게 준비를 마치고 집을 나섰다.

"그럼 우린 이만 가 볼게, 다들 고마웠어! 우리, 행복해질게~♡"

"다들 감사했습니다!"

루나의 언니는 행복한 기운을 뿜어내며 우리에게 손을 흔들었고, 라이온 씨는 문이 닫힐 때까지 몇 번이나 고개를 숙이고 있었다.

"……어째…… 괜찮으려나? 저 두 사람."

걱정스러운 눈으로 중얼거리는 루나를 향해, 나는 안심시키듯이 미소를 지었다.

"괜찮을 거야, 틀림없이."

근거는 없지만 그런 예감이 들었다.

남을 잘 챙기는 데다 애정이 많고 감정 표현이 풍부한 성격이 여성스럽고 매력적이지만, 조금 어린애 같고 충동적인 행동이 도드라지는, 위태로운 구석이 있는 키티 씨.

언뜻 보기엔 야무지지 못한 요새 젊은이 같지만, 저도 모르게 손을 내밀고 싶어질 만큼 솔직하고 순수한 마음을 지녔고 사실은 객관적인 시야를 가지고 있어서 먼 미래까지 고려해 행동에 옮기는 라이온 씨.

두 사람은 무척 잘 어울렸다. 앞으로도 틀림없이 서로를 지탱해 주며 살아갈 수 있을 것이다.

제대로 일을 하게 되어 남자로서 자신감을 얻은 라이온 씨는 다정한 라이온 같은 마음으로 아기 고양이 같은 키티 씨를 지켜 줄 것이 분명했다.

그런 생각을 하며 감동에 젖어 있는데, 한 차례 닫혔던 문이 열리더니 라이온 씨만 돌아왔다.

"물건이라도 잊어버리셨어요?"

루나가 묻자 라이온 씨는 '아뇨…… 읏, 네.'라고 아리송한 대답을 하더니 내 앞에 정좌했다.

"류토 씨."

"네."

"정말로, 감사했습니다!"

절을 하듯이 고개를 숙인 라이온 씨의 모습에 당황한 나는 저도 모르게 그의 머리를 들어 올리고 말았다.

"헉, 그러지 마세요."

라이온 씨는 그런 내 두 손을 잡고 고개를 들더니 금방이라도 눈물을 흘릴 것처럼 눈시울을 붉히며 나를 쳐다보았다.

"저 혼자서는, 그 노래를 완성시킬 수 없었어요. 류토 씨 덕분이에요. 류토 씨는, 틀림없이 훌륭한 편집자가 될 거예요."

"라이온 씨……."

오히려 내 쪽이 감격해서 말문이 막히고 말았다.

"반지를 사느라 돈을 너무 써서…… 아무런 답례도 드릴 수 없어서 죄송해요. 조금 남겨 둘 걸 그랬네요."

"그런 건 안 하셔도 돼요."

나는 그의 손을 맞잡으며 힘주어 대답했다.

"라이온 씨가 그렇게 말씀해 주신 것만으로도, 협력하길 잘했다고 생각하고 있으니까요."

라이온 씨는 말없이 한 번 더 깊이 고개를 숙이고는 자리에서 일어섰다.

"정말로, 감사했습니다."

라이온 씨는 그렇게 말하며 이번에야말로 원룸을 뒤로했다.

"……."

두 사람이 사라지자 집 안이 조금 넓어진 듯한 기분이 들었다.

"……그럼, 나도 이만 돌아갈게."

쿠로세가 코트와 가방을 들고 앉아 있던 침대에서 몸을 일으켰다.

"요코하마에 사는 대학 친구랑 7시부터 같이 밥을 먹기로 약속했어."

"엇, 남자야?!"

눈을 반짝이는 루나에게 쿠로세가 쓴웃음으로 대답했다.

"당연히 여자지. 이런 날에 만나자고 하는 건."

그녀는 그렇게 말하며 조용히 준비를 마치고 나갔다.

남겨진 나와 루나는 좁은 원룸에서 얼굴을 마주 보았다. 시각은 이미 저녁 6시가 넘었다.

"……우린 어떡하지? 슬슬 배가 고픈데…… 밥이라도?"

"그러고 보니 어떻게 할지 아무것도 생각을 안 했네……."

루나의 언니와 라이온 씨가 어떻게 될지는 직접 해 보지 않으면 알 수 없었기에 그 뒤의 일정을 세우지 못했던 것도 있다. 제대로 일정을 넣어 둔 쿠로세는 현명했다.

"어디로 나가서 먹는 것도 좋지만, 지금부터 적당한 가게를 찾아봤자 예약으로 꽉 차 있을 것 같아."

"이브니까 말이지……."

"그럼, 그냥 여기서 먹을래? 뭐라도 만들까?"

"어? 음…… 괜찮겠어? 고마워."

나도 커플들투성이인 레스토랑에서 주변의 눈치를 보며 하는 식사보다는 루나가 직접 만들어 주는 음식이 훨씬 기뻤다.

"그럼 만들게."

루나는 언니의 것으로 보이는 앞치마를 걸치고 냉장고를 열었다.

"달걀이랑…… 비엔나 소시지가 있네. 즉석밥은 있고…… 으음……."

루나가 그렇게 말하며 나를 보았다.

"류토, 볶음밥이랑 오므라이스 중에 뭐가 좋아?"

"어? 그럼 볶음밥으로."

"괜찮겠어? 오므라이스 쪽이 좀 더 크리스마스 느낌이 나지 않아?"

"뭐, 그렇긴 하지만."

그냥 볶음밥이 먹고 싶어서 말했을 뿐이다. 남자란 그런 생물인 것이다. 나만 그런 걸 수도 있지만. 얼마 전 잇치가 맛있게 흡입하던 볶음밥의 기억이 머리 한구석에 남아 있었기 때문일지도 모른다.

"류토가 괜찮다면 볶음밥으로 할게."

루나는 웃으며 다시 냉장고를 들여다보았다.

"앗, 만세! 냉장고에서 다진 파 발견! 역시 볶음밥으로 한 게 정답이었어♡"

그렇게 우리들의 크리스마스이브 디너는 볶음밥이 되었다.

◇

작은 테이블에 놓인 두 개의 볶음밥이 담긴 접시는 역시나 색만 다른 한 쌍이었다. 살짝 갈색으로 눌어서 밥에 붙어 있는 달걀이 먹음직스럽게 식욕을 자극한다.

"술 마실래? 언니 거라서 이거밖에 없지만."

루나가 그렇게 말하며 냉장고에서 스트롱 계열 츄하이를 꺼내 보여주었다.

"아니, 괜찮아. 우롱차 같은 건 있어?"

루나의 언니가 한 모금에 다 마시고는 만취하는 모습을 직접 눈앞에서 보았기에, 그걸 마시는 건 왠지 두려웠다.

"페트병에 든 녹차라면 있어~. 미지근하지만."

"괜찮아. 겨울이니까."

그렇게 어딘가 조금 뒤죽박죽인 저녁을, 나는 더할 나위 없이 감사히 먹었다.

"잘 먹겠습니다. ……음, 맛있어."

“다행이다! 간이 너무 센 건 아니지?”

“이 정도가 딱 좋아.”

“그래? 기억해 둬야겠다!”

루나가 그렇게 말하며 역시나 색깔만 다른 스푼을 입으로 옮겼다.

단둘뿐인 좁은 원룸.

루나의 언니가 라이온 씨와 동거하고 있었던 방이라 생활감이 넘쳐흐르는 게, 꼭 루나와 동거 중인 것 같은 느낌이 들어서…….

아무리 애를 써도 자꾸만 의식이 됐다.

초조해서 아무런 생각도 머리에 들어오지 않았다.

오키나와에서의 밤 이후로 계속되고 있는 고통이 식욕이 채워지면서 다른 욕구로 부풀어 오르는 것을 느꼈다.

“……잘 먹었어.”

내가 스푼을 내려놓자 루나가 놀란 얼굴을 했다.

“엇, 벌써 다 먹은 거야? 양이 적었어?”

“그런 건 아닌데, 맛있어서.”

“와~, 기뻐♡”

내 말에 기뻐하며 루나가 웃었다.

“류토.”

그렇게 이름을 불러 옆을 보자, 색깔만 다른 스푼이 입 앞으로 다가와 있었다.

"아~♡"

루나의 재촉에 나는 입을 벌렸다.

스푼이 단단한 소리를 내며 이에 닿은 그 순간, 이유는 알 수 없지만 콧속이 찡해졌다.

행복했다.

이것만으로도 충분히 행복한데도…… 나는 더 안쪽, 그보다 더 깊은 곳에 있는 행복을 갖고 싶어져 버렸다.

루나를 상처 입히고 싶지 않다.

행복하게 해 주고 싶다.

하지만 더는 참기 힘들 만큼, 괴롭다.

"……엇?! 왜 그래, 류토……?"

루나가 놀라고 있다.

갑자기 소리도 없이 눈물을 흘리기 시작한 나를 보며 당혹스러운 표정을 감추지 못하는 기색이었다.

나도 내가 어째서 우는 건지 모르겠다.

"루나……."

한심하게도 나는 아직 아무것도 되지 못했다. 루나가 앞장서 걸어가고 있는 건 여전했다.

그럼에도 나는 지금 이 손에 무언가 잡히려고 하는 것이 있음을 느꼈다.

그것은 라이온 씨와 쿠지바야시가 가르쳐 준 것이었다. 쿠로세의 자세와 후지나미 씨의 뒷모습, 카모노하시 선생님에게 배운 것도 있다.

나는 그 감촉에 의지해 이제부터 앞으로 걸어 나가려고 한다.

나는 반드시 루나를 행복하게 만들어 줄 남자가 될 거야.

그러니까 이 말을 하게 해 줬으면 좋겠어.

그런 생각을 하는 사이, 마음이 벅차올라 나와 버린 눈물이었다.

—행복이란 건 어느 한쪽이 노력해서 만드는 게 아니라…… 두 사람이 서로 양보함으로써 생겨나는 거라고 생각하니까.

—결심했지. 그도 그럴 게 우린 사귀고 있으니까. 계속 나만 참는 건 이상하잖아?

루나의 언니와 닛시의 말이 살며시 등을 밀어주는 것 같은 기분이 들어 나는 입을 열었다.

"……나, 편집자가 되려고 해."

그것은 결코 벼락을 맞은 것처럼 충동적인 깨달음이 아니라, 쿠지바야시에게 채팅으로 조언을 하거나 라이온 씨와 가사의 내용을 고민하며 서서히 솟구친 생각이었다.

"그러기 위해서 노력할 거야. 뭘 하면 좋을지 구체적으로 고민하는 건 이제부터겠지만……."

루나는 진지한 얼굴로 물끄러미 나를 지켜보고 있었다.

"물론 그보다 먼 미래의 일도 생각하고 있고, 지금은 계속 함께하기 위해서 기반을 다져야 할 시기라는 것도 알고 있어……. 혹시라도 무슨 일이 생기면 잇치처럼 인생을 걸고 온 힘을 다해 책임질 일이 되리란 것도 각오하고 있어. ……그래도."

차마 얼굴을 볼 수 없어서, 나는 다 먹은 볶음밥 접시를 응시하며 말했다.

"루나를, 정말로 많이 좋아하니까……."

봐야 한다는 생각에, 겨우 루나의 얼굴을 보며.

"하고 싶어……."

목구멍 안쪽에서 마음을 짜냈다.

"미안, 더는 참을 수가 없어……."

루나는 그런 내 얼굴을 물끄러미 바라보더니 눈물을 글썽이며.

"류토……."

채 억누르지 못한 감정을 쏟아내듯이 중얼거렸다.

"기뻐……."

입가를 누른 채, 루나가 고개를 숙이며 말했다.

그건 나에게 예상치 못했던 말이었다.

"류토가 이런 말을 해 주다니…… 꿈만 같아……."

"어……?"

나는 그 얼굴을 들여다보듯이 루나를 응시했다.

"하지만 루나는 '여기까지 왔으니 결혼을 먼저 하는 것도 괜찮은 선택지일지도'라고……."

"이성으로는 그렇게 생각하고 있었어. 하지만…… 나도 줄곧 류토와 한 몸이 되고 싶었고, 무엇보다…… ."

루나가 그렇게 말하더니 수줍게 뺨을 물들였다.

"류토가 먼저 나를 원해 줬으면 했어. 고2의 끝 무렵에도, 오키나와 때도, 늘 내가 먼저 재촉하고 있는 것 같아서…… 여자로서 조금 창피했어."

"루나……."

그런 생각을 하고 있었을 줄은 꿈에도 몰랐다.

내가 루나를 유혹하지 않았던 건 사귀기 시작한 날 '루나가 하고 싶어질 때까지 기다리겠다'고 약속했기 때문이다.

고2의 마지막에 루나에게 '하고 싶어졌다'는 말을 들었을 때 이런저런 사정으로 첫 번째 기회를 놓쳤고.

내 수험 공부가 시작되고, 그것이 끝나자 루나의 동생들이 태어나고, 엇갈리는 날들이 시작되고.

"나는 계속…… 계속 하고 싶었어. 고2의 6월에 루나가 나를 처음 집 안에 들이고 '샤워하고 올래?'라고 말해 줬을 때부터 계속."

루나가 입가에서 뗀 두 손을, 나는 힘주어 잡았다.

그 손은 뜨거웠다.

"참고 있었어. 사실은 죽을 만큼……. 줄곧, 매일 상상 속에서 루나를 안고 있었어."

루나는 눈동자를 일렁이며 기쁘면서도 부끄러운 듯이 나를 보았다.

"둘만 있을 때는 늘 참고 있었어. 에노시마에서의 밤은 정말로 괴로웠고…… 고2의 이브 때도 루나가 열이 나지 않았다면 아마 참지 못했겠지. ……수학여행 밤에도, 꽃구경을 갔을 때도, 언제나 아슬아슬했어."

"류토……."

루나는 결국 눈물을 떨구며 내 손을 세게 맞잡았다.

"기뻐. 기뻐어……."

루나는 그렇게 말하며 손을 풀더니 내 품에 파고들었다.

"류토……."

가슴만 맞닿는 포옹으로는 부족하다는 듯이 루나는 앞치마를 벗고 책상다리를 하고 앉은 내 무릎 위로 올라왔다.

목덜미에 루나의 더운 숨결이 끼친다.

"류토 냄새가 나……."

루나의 콧김이 냄새를 맡듯이 킁킁거리며 목에 난 솜털을 흔드는 것이 간지러웠다.

"루나……."

나는 웃으며 그녀의 등에 두른 손에 한껏 힘을 실었다.

"읏, 숨 막혀……."

루나가 신음하듯이 소리를 내서 나는 황급히 힘을 풀었다.

"헉, 미안……."

여자를 안는 힘도 조절할 줄 모르다니 이래서 동정은 안 된다고 생각하려나……. 그렇게 피해망상에 빠져 있는데.

"아냐."

루나가 나에게 꾹 매달렸다.

"더 숨 막히게 해 줬으면 좋겠어."

그녀는 그렇게 말하며 최대한 힘을 실었다고 생각했겠지만.

여자의 힘으로 부드러운 두 팔에 꽉 끌어안기는 건 그저 기분 좋을 뿐이었다.

"루나……."

나도 이번에는 힘을 조절하며 그녀의 등을 세게 안았다.

서로의 팔이 밀착하고, 루나의 가슴에 있는 보드라운 것이 쿠션처럼 두 사람 사이에서 튀었다.

더 힘을 주자 그것이 꽉 짓눌리며 아래쪽 늑골이 맞닿는 감촉이 느껴졌다.

살짝 힘을 풀자 루나의 가슴은 순식간에 탄력을 되찾더니, 밀어내듯이 내 피부에서 떨어졌다. 그 생생한 감촉에 푹 빠진 나는 몇 번이나 그녀를 끌어안았다 힘을 풀길 반복했다.

"류토……."

목덜미에 끼치는 루나의 숨결이 열기를 더해간다. 호흡이 점점 얕아진다.

"루나……."

몸을 떼고 지근거리에서 서로를 응시하던 우리들은 빨려 들어가듯이 입술을 포갰다.

도장을 찍는 것처럼 어색한 키스를 반복하는데, 루나가 내 귓가에 입을 가져갔다.

"입을 벌려 줘……."

그 속삭임에 귀가 화끈거렸다.

분명 얼빠진 표정을 짓고 있을 거라고 생각했지만, 입술을 반쯤 벌리고 다가오는 루나의 얼굴은 다시 없을 만큼 섹시했다.

이런 루나의 얼굴을 알고 있는 건 세상에 오직 나 하나뿐이었으면 좋겠다고 생각했다.

말캉거리며 내 입 안에서 루나의 혀가 움직인다. 그에 응하려고 애쓰자 루나가 얼굴을 살짝 뒤로 물리더니 다시 내 귀에 입을 가져갔다.

"힘을 빼……."

시키는 대로 하자 뜨겁게 젖은 혀와 혀가 녹아내리듯이 입안에서 약동하는 감각에 사로잡혔다.

기분 좋다.

루나를 좀 더 느끼고 싶다.

루나의 엉덩이가 내 허벅지 위에서 점점 뜨거워진다. 그곳을 내 다리 사이에 대고 문지르듯이 루나가 허리를 움직이고 있다.

"루나……."

흥분해서 머리가 이상해질 것 같은 상태로, 나는 그녀의 옷깃 안으로 손을 집어넣었다.

오늘 루나가 입은 옷은 가슴 쪽이 크게 V자로 파인 하얀색 니트 원피스였다. 쇄골과 가슴골이 훤히 보일 만큼 파여 있어서 그 안에 입고 있는, 아마도 캐미솔인 듯한 속옷처럼 생긴 옷이 보이고 있었다.

어깨뼈에 걸려서 멈춰져 있을 뿐인 그 니트 원피스의 옷깃을 어깨에서 벗겨내려고 하는데 루나가 웃었다.

"늘어나니까 위로 벗겨 줄래?"

"어, 앗, 미안……!"

확실히 늘어나면 옷깃이 어깨에서 멈추지 않게 돼 버리겠지. 그런 것도 깨닫지 못할 만큼 이성을 잃었거나 여자 옷을 벗겨 본 경험이 부족한 자신이 부끄러웠다.

니트 원피스는 허벅지까지 오는 길이라서 내 위에 걸터앉아 움직이는 사이 루나의 허벅지는 거의 다 노출된 상태가 되어 있었다.

그 옷자락을 걷어 올리고 하얀 속바지가 드러났을 때는 속옷 차림을 보는 게 처음이 아닌데도 허리가 불타오르는 것처럼 느껴질 만큼 흥분했다.

흰색 속바지와 검은색 캐미솔 차림이 된 루나는 내 시야를 가로막듯이 나긋하게 안겨 왔다.

"류토도 벗겨 줄게."

루나가 귓가에 속삭이며 내 스웨터와 속옷 사이로 양손을 미끄러뜨렸다.

상반신을 벗겨지며 나는 불현듯 깨달았다.

"아, 목욕…… 은, 어떻게 하지?"

그렇게 물어본 내게 루나가 고개를 기울이더니 눈동자만 들어 나를 쳐다보며 미소 지었다.

"……류토는 어떻게 하고 싶어?"

늘 선명하게 칠해져 있던 입술이 길었던 키스로 지워져 연한 분홍빛으로 물들어 있다. 촉촉하게 부어오르고 윤곽이 희미해진 그곳이 오싹하리만큼 야하게 느껴졌다.

"오늘은 체육 수업이 없으니까 땀 냄새는 안 날 것 같은데?"

루나는 그렇게 말하며 장난기가 느껴지면서도 도발적인 미소를 지었다.

그 말에 나는 4년 반 전에 그녀의 방에서 들었던 말을 떠올렸다.

—류토는 샤워가 필요 없는 스타일이야?

—오늘은 체육 수업을 해서, 좀 땀 냄새가 날 것 같아 창피하지만…….

그렇게 말하며 교복의 리본을 풀고 단추에 손을 얹던 그녀의 모습은 지금도 뇌리에 새겨져 있을 만큼 충격적이었다.

하지만 그건 어쩌면 나에게만 특별한 경험이었을지도 모른다고 생각했는데.

루나도 그때 자신이 한 말을 기억하고 있었던 것이다. 그 사실이 기뻤다.

"……이대로 하고 싶어."

열에 들뜬 것처럼 대답한 내게 루나가 웃었다.

"알았어♡"

낭창하면서도 보드라운 두 팔이 뱀처럼 내 목을 휘감는가 싶더니, 금세 떨어진다.

"잠깐 문 좀 닫고 올게."

루나는 그렇게 말하고는 자리에서 일어나 현관 쪽으로 갔다. 철컥 하고 잠금장치가 돌아가는 소리 뒤에 잘그락거리며 체인이 걸리는 소리도 났다.

"……이러면 언니가 마음이 바뀌어서 돌아와도 들어오지 못하겠지!"

내 앞으로 돌아온 루나는 그렇게 말하며 웃고는 다시 내 무릎 위에 걸터앉았다.

"응훗……."

내가 캐미솔의 가슴께에 얼굴을 파묻자, 그녀는 간지러운 듯이 웃음을 터뜨렸다.

"류토, 아기 같아서 귀여워♡"

집요하게 가슴에 얼굴을 대고 누르자 루나가 웃으며 내 머리를 안았다.

"제대로 벗겨 줘어."

간지러운 듯이 키득거리며 루나가 말한다.

"으, 응……."

나는 굼뜬 손가락 끝으로 그녀의 캐미솔을 걷어 올렸다.

속바지와 세트로 착용한 하얀색 브래지어가 그 밑에서 모습을 드러낸다. 위아래에 흰색 속옷만 입은 그 모습은 그리스 신화 등지에 나오는 여신처럼 고귀해 보였다.

둥그렇고 풍만한 두 개의 가슴을 지탱하는 브래지어를 등에 손을 둘러 벗기려고 했다.

"……응?"

손의 감각에 의지해 후크를 벗기려고 시도했지만 좀처럼 잘되지 않았다.

"어, 어라?"

너무 미숙한 티를 내는 것 같아서 창피하다……. 조바심이 들수록 손끝은 점점 꼬여만 갔다.

"우후후."

루나가 웃으며 허리를 띄우더니 내게서 등을 돌렸다.

"자♡"

허리로 갈수록 잘록해지는 날씬하고 아름다운 등. 그 등을 정신없이 쳐다보며 나는 무사히 브래지어의 후크를 풀었다.

"……루나?"

좀처럼 내 쪽을 돌아보지 않는 그녀에게 말을 걸자, 루나는 고개만 내 쪽으로 돌리더니,

"부끄러워……."

라고 말하며 뺨을 붉혔다.

그 몸짓에 불이 붙은 나는 그녀 앞으로 돌아서 들어갔다.

후크와 어깨끈이 풀어진 브래지어를 손으로 받치고 있던 그녀가 나와 눈이 마주치자 후훗 하고 소리 내 웃었다.

"……사실은 4년 반 전에 보여주려고 했던 건데 말이지."

멋쩍은 듯이 웃으며 그렇게 말했다.

"그때였다면 전혀 부끄러워하지 않았을 텐데 말이야."

"……왜 지금은 부끄러운 걸까?"

반쯤 순수한 의문으로 던진 내 말에 루나는 웃으며 대답했다.

"……진짜로 좋아하게 돼서, 그런 거야."

루나가 사랑스럽게 미소 지으며 응석을 부리듯 내 목을 껴안는다.

무릎 위에 떨어진 브래지어를 루나가 손으로 살짝 옆으로 치웠다.

헐벗은 가슴에 마찬가지로 헐벗은 루나의 가슴이 부드럽게 흡착하듯이 짓눌렸다.

이렇게 기분 좋은 감촉이 이 세상에 있었구나. 나는 그렇게 생각했다.

"류토오……."

루나의 달콤한 목소리가 귓가에서 녹아내린다.

마음과 머리가 구석구석까지 루나로 가득 차오른다.

그동안 함께했던 모든 순간의 루나가 사랑스럽게 떠오른다.

고2의 그때 처음 찾아갔던 루나의 방에서 그녀를 안았다면 분명 이런 만족감을 느끼지는 못했겠지.

가슴과 가슴이 맞닿은 것만으로는 부족해서, 나는 내 손으로 루나의 가슴을 만졌다.

"응……."

루나가 눈을 감고 요염한 신음을 흘렸다.

묵직한 무게가 느껴지는 가슴을 한 손 가득 느끼며 엄지로 중심부를 한 바퀴 덧그렸다.

"앗……."

루나가 등을 휘고는 교성을 지르며 허리를 움직인다.

루나의 열과 습기를 머금은 엉덩이가 단단해진 내 것에 닿아 기분 좋았다.

"류토……."

루나가 내 바지 지퍼로 손을 뻗는다.

"류토도, 벗어."

신음하듯이 말하며 지퍼를 내리기 시작한다. 나는 직접 바지를 벗었다.

"이것도 벗어."

자기는 아직 입고 있으면서 루나가 내 팬티에 손을 걸쳤다.

그렇게 루나보다 한발 먼저 나는 실오라기 하나 걸치지 않은 모습을 형광등 밑에서 드러내게 됐다.

"……루, 루나. 너무 쳐다보지 말아 줄래……?"

루나가 내 분신을 빤히 쳐다보는 바람에 부끄러워진 나는 손으로 분신을 가렸다.

그런 나를 루나는 요염하게 웃으며 올려 뜬 눈으로 바라보았다.

"안 보면 우쭈쭈해 줄 수 없잖아?"

우쭈쭈…… 우쭈쭈를 당하는 건가……. 부끄럽다. ……부끄럽지만 흥분된다.

……그래도, 역시 부끄럽다.

루나는 다른 남자의 것을 알고 있을 거라는 생각에 열등감을 느끼며 고개를 숙이자 루나는 내 귓가에 입을 가져가서는.

"……세상에서 제일 멋있어♡"

그렇게 속삭여 주었다.

"루나……."

가슴이 지끈거리며 몸이 흥분하기 시작한다.

"잠깐만 기다려, 루나……."

피임 도구를 준비하려고 엉거주춤 자리에서 일어나려는데,

"자, 이거 맞지?"

하고 루나가 그것을 건네주었다.

"……엇, 루나도 준비해 뒀어?"

내가 늘 휴대하고 다니는 것과 종류가 달라서 루나의 것임을 알았다.

루나가 부드럽게 미소 짓는다.

"계속 가지고 있었어. 류토가 언제 유혹해도 문제없도록."

"루나……."

"아, 그래도 그 전에 잠깐만."

루나는 그렇게 말하더니 의미심장하게 웃었다.

"……오키나와에서 보여주지 못했던 연습의 성과를, 한번 맛봐 볼래?"

그리고는 한쪽 머리카락을 귀에 걸며 내 다리 사이에 얼굴을 묻었다.

◇

루나 안에서 맛본 아찔한 쾌감은 내가 이제껏 해 왔던 수백, 수천 번의 망상을 아득히 능가하는 것이었다.

루나는 귀여운 자기 자식을 애지중지 다루듯이 나를 애무했고, 나는 그녀의 안에서 몇 번이나 절정에 이르렀다.

내가 그녀를 만족시킬 수 있었는지는, 솔직히 자신이 없다.

그래도 그녀는 시종일관 기분이 좋아 보였고, 계속해서 달뜬 신음을 내질렀다. 줄줄 꿀을 흘리는 샘도 끝까지 마르지 않았다.

벌거벗은 루나는 정말로 아름다웠다.

회화 속 비너스처럼 매끄러운 곡선을 그리는 몸은 어디를 잡아도 부드러웠고, 윤기 나는 피부는 달라붙을 듯이 싱그러웠다.

물론 나는 그 느낌을 단편적으로는 알고 있었다.

하지만 그날…… 고백하자마자 아무도 없는 집에서 육탄 공세를 당했던 그날로부터 4년 반이 지난 크리스마스이브에.

뜻밖에도 그녀의 친 언니가 사는 좁은 원룸에서.

나는 처음으로 루나의 모든 것을 알게 되었던 것이었다.

◇

한바탕 사랑을 나눈 뒤 우리는 함께 욕조에 들어갔다.

좁은 유닛 배스에 따뜻한 물을 받고 세로로 나란히 들어갈 공간은 없었기에 가로로 나란히 들어가 욕조 가장자리에 무릎을 걸쳤다.

"웃긴다, 밖으로 거의 다 나와 있어."

둘 다 몸통만 목욕물에 담그고 있는 상태에, 루나가 웃었다.

긴 머리를 감고 클립처럼 생긴 머리핀을 이용해 위로 고정해 둔 덕에 젖은 잔머리 몇 가닥이 하얀 목덜미에 달라붙어 있는 것도, 화장기가 완전히 사라진 맨얼굴도 사랑스럽다.

"모양새가 꼭 굴장(屈葬) 같네."

"그게 뭐야?"

"굴장, 몰라?"

"굴장?"

"옛날에 쓰던 매장법이야. 역사 시간에 배우지 않았어?"

"헐, 대졸한테 바보 취급을 당했어! 젠자앙~!"

"아하하. 아직 졸업도 안 했거든."

"……그래도 일단 하나는 졸업했잖아?"

씨익 하고 놀리듯이 미소를 짓는 루나의 시선에, 나는 행복한 부끄러움을 느끼며 눈을 피했다.

"……그러게, 요."

"아하하. 왜 갑자기 말을 끊어서 해? 나처럼."

"엥, 그게 뭐야."

"가끔 그러거든. 니콜이나 다른 애들한테."

"아~, 그럼 그걸지도."

"응?"

“루나의 영향을 받은 거지.”

나는 스스로 납득하며 의아한 얼굴의 루나에게 설명했다.

“문장이나 말투 같은 건 원래 친한 사람을 닮아 가는 법이잖아?”

“그렇구나~.”

루나도 이해했다는 듯이 고개를 끄덕였다.

“닮아가기 시작했구나, 우리.”

“이제부터 더욱 닮아갈 거야.”

나는 말했다.

“계속 함께 있을 거니까.”

조금 징그러운 소리를 한 것 같아 불안해져서, 무슨 말이라도 해 줬으면 하는 마음에 루나를 보았다.

그리고, 루나의 이변을 깨달았다.

“……왜 울어?”

루나의 눈에서 눈물이 흐르고 있었다. 입욕 중이라 순간적으로 목욕물이나 땀인 줄 알았지만, 눈가와 코가 빨갰기에 울고 있다는 걸 알 수 있었다.

“……나, 끝나고 나서 남자한테 이런 말을 들은 건 처음이야.”

코를 훌쩍인 루나가 고개를 숙이며 그렇게 말했다.

“하기 전에는 다들 정열적인 말이나 달콤한 말을 해 줬지만…… 끝나고 나서도 이렇게 즐겁게 대화를 나눌 수 있었던 사람은, 류토가 처음이야.”

중얼거리듯이 말하며 과거의 기억을 떠올리는 것처럼 생각에 잠

긴 얼굴을 한다.

"'남자는 내보내면 피곤해진다'면서 얘기도 해 주지 않고…… 눈도 맞춰 주지 않아서."

그 슬퍼 보이는 눈망울의 옆모습에, 빨려들 것처럼 매료되는 건 어째서일까. 조금 전까지 그렇게 부둥켜안고 있었는데도 또 안고 싶어 견딜 수 없었다.

"여태껏 줄곧 '남자들은 원래 그렇다'고 생각하고 있었으니까…… 류토도 그럴 줄 알았어. 하지만 류토는 모든 게 달라. 내가 처음으로 만나 보는 남자야."

루나는 그렇게 말하더니, 옆에 앉은 나를 물끄러미 바라보았다.

"왜지? 어째서 류토는 그렇게 다정한 거야?"

그런 그녀의 뺨에 남은 눈물 자국을 젖은 손가락 끝으로 펼치듯이 닦아내며.

나는 머쓱해하며 수줍게 대답했다.

"'진짜로 좋아하게' 돼서, 그런 거야."

그렇게 굴장 같은 자세로 좁은 욕조에 나란히 몸을 담근 채, 우리들은 재차 서로를 끌어안았다.

내 품 안에서, 루나가 다시 조금 울었다.

제5.5장 루나와 니콜의 긴 전화

“그렇게 돼서, 드디어 류토랑 맺어졌어♡”

“축하해! ……이야~, 그나저나 참 길었네.”

“내 말이! 얼마나 오래 기다렸던지 거의 첫 경험 같았다니까! 앗, 이런 말은 너무 뻔뻔한가, 헤헤…….”

“후후.”

“그래도 엄청 좋았다고 생각한 게.”

“뭐야, 처음으로 섹스를 한 소감이라도 말하려고?”

“아니거든! ……나, 류토랑 사귄 지 오래됐다 보니 전 남친들의 기억도 다 덮어씌워져서 류토가 아닌 사람과 사귀었던 기억들은 거의 다 사라졌다고 생각했지만.”

“응.”

“그런 일에 관한 기억은 류토랑 경험해 본 적이 없으니까 아무래도 조금은 남아 있었거든.”

“그렇구나.”

“그런데, 류토랑 하고 나서는 확실히 덮어씌워진 것 같은 기분이 들었어.”

“응.”

“그게 좋았어. 앞으로 더 많이 하게 되면 그런 쪽의 기억들도 류토와 함께 했던 행복한 추억들로 가득 차게 될 거라는 생각이 들어서."

"……그렇구나."

"하지만 4년이나 사귀었는데도 엄청 부끄러웠어~! 상상이야 엄청 많이 했지만, 수영복으로 가려지는 부분들은 처음 보는 거였으니까."

"어땠어? 상상했던 거랑 비교하면."

"음……, 상상했던 것보다……."

"애태우지 말고."

"……멋있었어♡"

"헐~, 괜히 물어봤어!"

"류토가 익숙하지 않다는 건 알고 있었지만, 나도 나을 건 전혀 없어서…… 왠지 둘 다 허둥거렸던 것 같아. 헤헤."

"잘 어울리네."

"응♡"

"헐~, 짜증 나. 행복한 기운이 뿜어져 나와서 죽을 것 같아."

"정말~! 좀 더 축하해 줘!"

"축하하고 있어. 마음속으로 말이지."

"입으로도 해 달라구~!"

"……잘됐어, 정말. 축하해."

"에해해, 고마워."

"……잘됐어. ……정말, 다행이야……."

"어, 니콜?"

"……루나만이라도, 행복해졌으면 좋겠어……, 내 몫까지……."

"엥, 설마…… 우는 거야?"

"……축하해……."

"……? 고마워……."

"정말……, 정말로…… 다행이야……, 루나……."

"니콜……?"

"나는…… 더는 나 자신을 어떻게 해야 좋을지 모르겠어……."

"니콜? 엥, 왜 그래? 무슨 일이라도 있었어?"

"……."

전화기 너머의 니코루는 루나에게 대답하는 대신 계속 눈물만 흘리고 있었다.

그런 친구의 모습에, 루나는 스마트폰을 귀에 댄 채 그저 당황할 따름이었다.

에필로그

다음 날, 얼이 빠진 상태로 편집부에 출근하자 후지나미 씨가 말을 걸어 왔다.

"카시마, 이따가 같이 점심 먹으러 가지 않을래?"

"네? 네……."

대학이 겨울방학을 맞이한 뒤로 나는 오전부터 출근하고 있었다. 쿠로세는 변함없이 저녁부터 일하는 날이 많다. 오늘도 그녀는 아직 오지 않았다.

오후 1시, 나는 후지나미 씨와 함께 점심을 먹으러 갔다.

입장한 가게는 도로와 맞닿은 정면의 폭은 좁지만 바처럼 세련된 분위기가 감도는 근사한 카레 전문점이었다. 나를 데려온 후지나미 씨는 높다란 카운터석과 키가 비슷한 스툴이 마주 보게 놓인 벽 가의 2인석에 앉았다. 가게 안에는 우리를 제외하면 1인 손님 세 사람이 카운터석에 한 자리씩 간격을 두고 앉아 있을 뿐이었다.

"벌써 다른 사람한테 들었을 수도 있겠지만……."

카레가 오기 전에 물을 마시며 후지나미 씨가 그렇게 운을 뗐다.

"내가 이번 달까지만 일하고 회사를 그만두게 됐어."

카모노하시 선생님에게 전화로 소식을 전해 들었기에 놀라지는 않았다. 남자 둘이서 밥을 먹는 것치고는 말끔한 가게를 고른 것도 이 얘기를 하고 싶어서였다는 걸 깨달았다.

"이유가 뭔가요……?"

"동료랑 회사를 세우려고. 그동안은 물 밑에서 움직였는데, 슬슬 할 일이 늘어나서 현 상태를 유지할 형편이 안 될 것 같더라고."

머뭇거리며 물어본 내게 후지나미 씨가 망설임 없이 술술 얘기했다.

"해외에서 엔터테인먼트 계열 출판 사업을 하고 싶어. 기존의 만화나 라이트노벨 번역 사업이 아니라, 일본의 오타쿠 대상 엔터테인먼트를 형식만 빌려서 현지의 문화적 배경을 고려해 전개하고 싶달까. 이를테면 현지 작가들을 육성한다든가, 해외에 연고가 있는 일본인에게 창작을 맡기는 거지. 그걸 일본어로 번역해서 역수입하면 일본의 오타쿠 문화에도 새로운 조류를 만들어낼 수 있을 테고. 웹툰과 비슷한 흐름이려나."

"하아……."

어쩐지 무척 장대하고 희망찬 얘기로 들려서, 당장은 그 말밖에 할 수가 없었다.

"카시마는 지금 3학년이지. 나도 내년에는 열심히 창업 준비를 해서 그다음 해에는 본격적으로 시작하려고 생각하고 있어. 그러니까……."

후지나미 씨는 그렇게 말하고는 살짝 거드름을 부리며 나를 보았다.

"혹시 괜찮으면, 카시마가 졸업한 뒤에 편집자로 채용하고 싶어. 어떻게 생각해?"

"……."

순간 대답하지 못하는 나를 보며, 후지나미 씨가 작은 목소리로 말했다.

"이대로 계속 알바를 한다고 해도 이이다바시 서점의 정직원이 될 가능성은 높지 않을걸? 다른 출판사에 채용된다고 해도 편집자로 일할 수 있으리라고는 장담할 수 없어. 편집자가 되고 싶어서 입사했지만 계속 영업 일만 하거나 총무 일만 하는 직원들도 발에 챌 만큼 흔하니까."

"……."

"카시마는 편집자에 소질이 있다고 생각해. 그래서 꼭 너를 데려가고 싶어."

그 말에 나는 퍼뜩 정신이 들었다.

"데려간다는 건…… 설마 해외로 말인가요?"

"국내에서도 할 일은 있겠지만 기본적으로는 그렇게 되려나. 회사를 세우고 나서 한동안은 더 그렇겠지."

그런 건가. 취직하자마자 난데없이 해외라니…… 그럼 루나하고는 어떻게 되는 거지.

"여자친구가 걱정돼서 그래?"

내가 말이 없자 그렇게 묻는다. 후지나미 씨는 내가 쿠로세의 쌍둥이 언니와 사귀고 있다는 사실을 알고 있었다.

"그거야 결혼해서 데리고 가면 되지!"

"네?!"

"구체적인 장소는 아직 정해지지 않았지만, 후보지는 동남아시아 쪽이야. 물가도 싸고 가사 도우미를 두고 풍족하게 살 수 있다면서 동료의 아내는 벌써부터 기대하고 있다고."

"아니, 결혼이라니……! 이렇게 갑자기요?!"

당황하는 내게 후지나미 씨가 남 일이라고 아주 해맑은 표정으로 말했다.

"너무 갑작스러워서 문제면 아예 지금부터 동거를 시작해 두는 건 어때? 요즘 젊은 애들은 대학생 때부터 동거하는 것도 흔하다며?"

"도, 동거……?!"

도, 동거……?!

터무니없는 제안에 마음의 소리도 그 이상은 나오지 않았다.

"응. 결혼 생활을 예습하는 거지. 괜찮지 않아?"

"아니, 문제는 그게 다가 아니라서 말이죠……. 여자친구는 보육 교사가 되는 게 꿈이라고요……."

"그럼 그쪽으로 건너가서 일본인들을 대상으로 시터 일을 하는 건 어때? 같은 일본인이니까 일을 맡기는 사람도 오히려 좋아할 것 같은데."

"……."

거침없이 문제점을 격파해 버린다. 역시 유능한 편집자다.

그러고 보니 KEN도 지금은 동남아시아에서 지낸다고 했던가. 그쪽에서 살게 되면 한 번은 만날 기회가 생길지도 모르겠다. 그런 잡생각까지 튀어나와서, 벌써부터 마음이 출국에 가 있는 스스로에게 경악을 느꼈다.

그때 카레가 도착했다. 후지나미 씨는 바로 제 몫의 카레를 먹으며 업무 연락을 하는 것처럼 시원스럽게 말했다.

"회사 개요도 보내고 진척 보고도 하면서 계속 정기적으로 연락할 테니까. 모쪼록 긍정적으로 고려해 줘, 부탁할게. 이따가 라인도 교환하자."

◇

그날 밤 나는 루나와 오랜만에 영상 통화를 했다. 어제 그런 일이 있었던 다음 날이라, 둘 다 고등학생 때처럼 풋풋하고 달콤한 감정이 가슴에 회오리치고 있었던 것 같다.

"에헤헤, 메리 크리스마스!"

"앗, 그렇구나. 이상하게 이미 크리스마스가 끝났다고 생각하고 있었어."

"그치, 나도. 어제가 너무 최고라서."

"나도 그래."

"후후. 류토는 뭘 하고 있었어?"

"응? ……루나를 생각하고 있었어."

"헐, 기뻐! 나도~♡"

그렇게 달디단 대화를 잠시 이어가고 나서, 나는 지나가듯이 새로운 화제를 꺼냈다.

"……루나는 있잖아, 동거에 대해서 어떻게 생각해?"

"헉, 엄청 하고 싶어!"

어디까지나 일반론을 얘기하는 것처럼 물어봤는데도, 루나는 무시무시한 기세로 화제를 덥석 입에 물었다.

"우리 집 쌍둥이들도 제일 힘든 시기는 지나갔으니까~. 미스즈 씨의 몸 상태도 슬슬 나아지고 있고. 지금 내가 집을 나가도 어떻게든 될 거라고 생각해. 나랑 류토는 둘 다 본가에서 지내고 있잖아? 꽁냥거릴 장소가 없다는 건 솔직히 불편하지."

"그건…… 확실히……."

"동거하게 되면 무한히 꽁냥거릴 수 있잖아?"

"……."

무한히?! 꽁냥거린다고?!

무한 꽁냥꽁냥 편?!

터무니없이 임팩트 있는 단어의 습격에 머릿속이 단숨에 번뇌에 지배당한다.

"그, 그렇구나……. 그럼……."

머릿속이 멍해서 자꾸만 실없는 생각이 든다.

하지만, 어쩌면 그건 루나 역시 마찬가지였을지도 모른다.

"해, 볼까……?"

살짝 조심스레 물어본 내게, 루나가 만면에 미소를 지으며 대답했다.

"할래 할래~! 와아♡ 류토랑 동거한다아~!"

루나는 마치 쇼핑 약속을 잡는 것처럼 쉽게 제안을 승낙했다.

하지만 그 뒤에 불쑥.

"……어쩐지 미안하네. 나만, 이렇게 행복해서……."

하고 목소리 톤을 낮췄다.

"엥? 그게 무슨 소리야?"

"니콜한테…… 무슨 일이 있었던 것 같아. 류토, 니시나한테 무슨 얘기 못 들었어?"

"아니, 딱히……."

거기서 나는 닛시의 결의를 떠올렸다.

—이브에 만나면 '오늘 밤은 함께 있고 싶다'고 얘기해 볼 거야.

야마나의 '무슨 일이 있었던 것 같은' 태도도 어쩌면 그것과 연관이 있는 걸까?

일단 생각이 떠오르자 친구가 걱정되기 시작하는지 루나가 그 뒤로 풀이 죽어 버리는 바람에, 우리들은 얼마 안 있어 전화를 끊었다.

그러자 금세 다시 스마트폰이 진동했다.

루나한테 뭔가 깜빡하고 못 한 말이라도 있나 싶어 화면을 보자, 발신자는 닛시였다.

"닛시? 여보세요?"

“캇시.”

들려온 닛시의 목소리는 깜짝 놀랄 만큼 가라앉아 있었다.

“나, 어떡하면 좋지…….”

“……엥? 왜 그래?”

“어젯밤에, 니코루랑 같이 있었어.’

그 말을 듣고 나는 이해했다.

닛시의 마음이 야마나에게 닿았구나.

“그렇구나. ……잘됐네.”

“그런데 말이야…….”

“응?”

닛시의 어조가 심각해서 이쪽도 어떻게 장단을 맞춰야 할지 알 수 없었다.

“……아무한테도 말하지 말아 줬으면 하는데, 들어 줄래?”

“응.”

내가 대답했음에도 닛시는 좀처럼 그다음 말을 꺼내지 않았다.

전파에 문제가 생겼나 싶어 스마트폰에서 귀를 떼려던 그때, 겨우 닛시가 말했다.

“니코루, 처음이었어.”

순간 그 말의 의미를 알 수가 없었다.

“……뭐?”

처음? 대체 뭐가……? 설마, 지금 내가 생각하는 그건 아니겠지?

“끝난 뒤에 엄청 울었어……. 기뻐서 우는 게 아니라…… 정말로 슬픈 것처럼……. 그 뒤에 잠결에 말했어. '선배'라고…….”

닛시의 말을 들으며 나는 역시 그런 거였나…… 하고 확신했다.

그래도 당장은 믿을 수가 없었다.

세키야 씨는 야마나와 끝까지 하지 않고 헤어진 건가…….

“니코루의 마음에 있는 사람이 지금도 '선배'일지 모른다고 생각하니까…… 드디어 한 몸이 됐는데도, 왠지, 엄청 까마득한 기분이 들어서…… 내가 바라던 게 정말로 이게 맞나 싶어.”

“닛시…….”

뭐라 해 줄 말을 찾지 못한 채 나는 친구의 한탄을 들었다.

그러자 닛시는 잠시 후 갑자기 침묵하더니.

“……미안. 이상한 일로 전화를 했지. 역시 방금 한 말은 전부 잊어 줘.”

“……알았어.”

그렇게 나는 전화를 끊었다.

“…….”

방 안 침대에서 아무와도 연결되지 않고 혼자가 되어.

어젯밤 루나의 야하고 귀여운 모습과 앞으로 시작될지 모를 동거 생활에 대한 기대 따위를 마음속에 그리면서도—.

“닛시……, 괜찮으려나…….”

잊으라는 말은 했어도 그리 금방 잊어버릴 수는 없었기에, 친구의 복잡할 심경에 관해 생각의 나래를 펼쳤던 것이었다.

후기

『경험 많은 너와 경험 없는 내가 사귀게 된 이야기. 8권』을 구매해 주셔서 감사합니다!

대학생 편은 파트너십을 테마 중 하나로 삼고 있습니다만, 이번에는 류토와 루나의 관계가 변화해서 앞으로 전진하는 계기가 되는 권이었다고 생각합니다.

류토와 루나라는 다른 특성을 지닌 두 사람이 연인으로 신뢰와 애정을 키워나가면서도 속에 품어 왔던 문제들을 어떻게 해결하는지 즐겁게 읽어 주신다면 감사하겠습니다.

자신과 다른 육체와 의사를 가진 인간과 함께 살아간다는 게 어떤 의미인지, 저도 이 작품을 쓰면서 고민하고 있습니다.

인간은 모두 요철을 가지고 있는 존재라서, 내 들어간 곳이 누군가의 튀어나온 곳으로 보충되고 있고 저도 제 튀어나온 부분으로 누군가의 들어간 곳을 채울 수 있다면 좋겠다고 생각하고 있습니다. 야한 얘기가 아니에요.

저는 작가들 사이에서는 비교적 평범한 사람이라고 주변 사람들에게 인식되고 있는 것 같습니다만, 실은 평범한 사람은 어렵지 않게 할 수 있을 만한 일상적인 행위인데도 심상치 않을 만큼 서툴러서 피해 버리는 경우가 꽤 되는 바람에, 가족과 주변 사람들이 그걸 알고 대신 해 주기도 합니다. 그 덕에 어찌어찌 평범한 삶을 보내고 있어서 매일 감사하게 생각하고 있습니다.

마찬가지로 일에서도 일정 관리나 사무 작업에 약한데요, 담당자님께서 꼼꼼하게 일정을 세우고 리마인드를 해 주시는 덕에 크게 도움을 받고 있습니다. 문장밖에 쓸 줄 모르는 제 작품에 시각적인 매력을 부여해 주시는 분들과 다른 매체로 미디어믹스를 전개해 주시는 분들께도 진심에서 우러나온 감사의 말씀을 드립니다.

일러스트를 맡아 주신 magako님께서 이번에도 미려한 일러스트로 작품에 한층 색채를 더해 주셔서 감사하고 있습니다! 키티의 캐릭터 디자인이 러프 단계부터 너무 완벽해서, 저도 모르게 입이 활짝 벌어지고 말았답니다.

담당 편집자 마츠바야시 님, 그리고 단편집부터 본격적으로 담당을 맡아 주신 새로운 담당자 코바야시 님께도 많은 신세를 지고 있어, 늘 감사하고 있습니다!

발매 중인 단편집은 고3 시절의 에피소드를 중심으로 즐거운 이야기들이 잔뜩 실려 있으니 꼭 8권과 함께 읽어 주시면 감사하겠습니다!

그리고 이미 소식이 공개되기는 했습니다만, 『경험 많은 너와 경험 없는 내가 사귀게 된 이야기.』가 웬걸, 올여름에 뮤지컬로 제작될 예정입니다! 앞으로 공개될 정보도 많으니 부디 공식 홈페이지와 X를 체크해 주세요! 한 분이라도 많은 분들께서 봐 주신다면 기쁘겠습니다!

그럼 9권에서 다시 만나 뵐 수 있기를 기원하며!

2024년 4월

나가오카 마키코

경험 많은 너와 경험 없는 내가 사귀게 된 이야기. 8

초판 1쇄 인쇄 2025년 9월 10일
초판 1쇄 발행 2025년 9월 15일

저자 : 나가오카 마키코
번역 : 조기

펴낸이 : 이동섭
편집 : 이민규
디자인 : 조세연
영업 · 마케팅 : 조정훈, 곽혜연
기획편집 : 송정환, 박소진
e-BOOK : 홍인표, 김은혜, 정희철, 김미연, 황진영
라이츠 : 서찬웅
관리 : 이윤미

㈜에이케이이커뮤니케이션즈
등록 1996년 7월 9일(제302-1996-00026호)
주소 : 08513 서울특별시 금천구 디지털로 178, B동 1805호
TEL : 02-702-7963~5 FAX : 0303-3440-2024
http://www.amusementkorea.co.kr

ISBN 979-11-274-9379-0 04830
ISBN 979-11-274-5206-3 04830 (세트)

KEIKEN ZUMI NA KIMI TO, KEIKEN ZERO NA ORE GA, OTSUKIAI SURU HANASHI.
Vol.8